MEU MUNDO DE CABEÇA PARA BAIXO

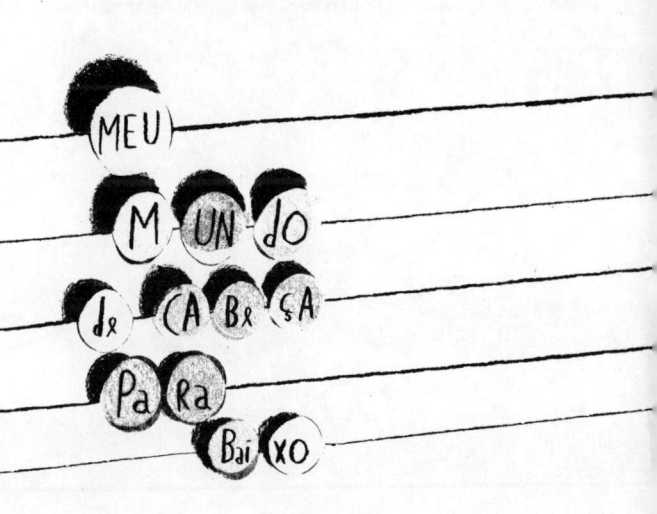

Meu mundo de cabeça para baixo

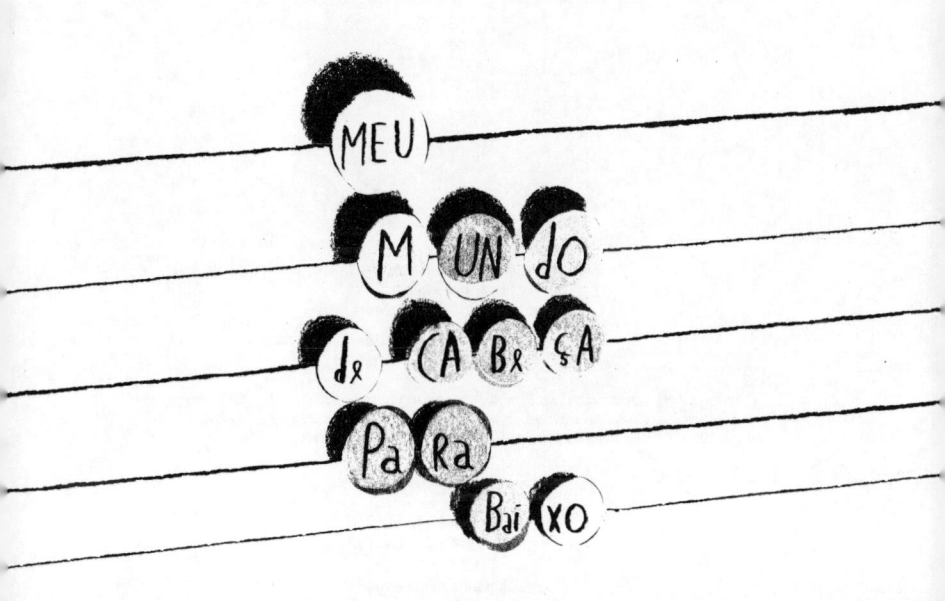

Clare Furniss

Tradução
Nicole Anne Collet

wmf **martinsfontes**
SÃO PAULO 2016

Esta obra foi publicada originalmente em inglês com o título THE YEAR OF THE RAT
por Simon and Schuster UK Ltd
Copyright do texto © 2014, Clare Furniss

Copyright © 2016, Editora WMF Martins Fontes Ltda.,
São Paulo, para a presente edição.

Todos os direitos reservados. Este livro não pode ser reproduzido, no todo ou em parte, armazenado em sistemas eletrônicos recuperáveis nem transmitido por nenhuma forma ou meio eletrônico, mecânico ou outros, sem a prévia autorização por escrito do editor.

1ª edição 2016

Tradução
NICOLE ANNE COLLET

Acompanhamento editorial
Fabiana Werneck Barcisnki
Preparação de texto
Luzia Aparecida dos Santos
Revisões gráficas
Bruna Wagner
Marisa Rosa Teixeira
Produção gráfica
Geraldo Alves
Paginação
Studio 3 Desenvolvimento Editorial

Dados Internacionais de Catalogação na Publicação (CIP)
(Câmara Brasileira do Livro, SP, Brasil)

Furniss, Clare
  Meu mundo de cabeça para baixo / Clare Furniss ; tradução Nicole Anne Collet. – São Paulo: Editora WMF Martins Fontes, 2016.

  Título original: The year of the rat.
  ISBN 978-85-469-0085-5

  1. Ficção – Literatura juvenil I. Título.

16-03851   CDD-028.5

Índices para catálogo sistemático:
1. Ficção : Literatura juvenil   028.5

Todos os direitos desta edição reservados à
Editora WMF Martins Fontes Ltda.
Rua Prof. Laerte Ramos de Carvalho, 133 01325-030 São Paulo SP Brasil
Tel. (11) 3293-8150 Fax (11) 3101-1042
e-mail: info@wmfmartinsfontes.com.br http://www.wmfmartinsfontes.com.br

Para Marianne, Joe e Ewan, com amor

"Eu pretendia escrever sobre a morte, mas, como sempre, a vida irrompeu."

Diário de Virgínia Woolf,
17 de fevereiro de 1922

Março

A luz do semáforo brilha vermelha através do para-brisa molhado, embaçada, nítida, embaçada de novo, enquanto os limpadores se movem de um lado para o outro. Abaixo dela se vê o vulto do carro funerário. Tento não olhar para ele.

Minhas mãos estão inquietas como se não me pertencessem, mexendo em um fio solto na minha manga, puxando minha saia para que cubra mais as minhas pernas. Por que eu tinha de usá-la? É curta demais para um funeral. O silêncio está me fazendo entrar em pânico, mas não consigo pensar em nada para dizer.

Arrisco um olhar de soslaio para o papai, seu rosto inexpressivo está imóvel como uma máscara. No que estará pensando? Na mamãe? Talvez, como eu, esteja só tentando encontrar alguma coisa para dizer.

– Você deveria usar o cinto de segurança – digo por fim, num tom alto demais.

Ele se sobressalta e me olha surpreso, parecendo ter esquecido que eu estava ali.

– O quê?

Eu me sinto idiota, como se tivesse interrompido algo importante.

– Seu cinto de segurança – murmuro, o rosto queimando.

– Ah. Claro. – E depois: – Obrigado.

Mas sei que ele não está de fato escutando. Parece escutar outra conversa, uma conversa que não consigo ouvir. Ele não afivela o cinto de segurança.

Somos como duas estátuas frias e cinzentas, lado a lado no banco de trás do carro.

Estamos quase chegando, já parando diante da igreja, quando ele põe a mão no meu braço e me olha nos olhos. Seu rosto está enrugado e pálido.

– Você está bem, Pearl?

Olho-o de volta. Isso é mesmo o melhor que ele consegue fazer?

– Sim – respondo finalmente.

Aí saio do carro e entro na igreja sem ele.

Sempre achei que, de alguma maneira, a gente saberia se algo terrível estivesse para acontecer. Achei que daria para perceber, como quando o ar fica úmido e denso antes de uma tempestade e a gente sabe que é melhor se abrigar em algum lugar seguro até que tudo passe.

Mas acontece que não é nada disso. Não tem nenhuma música assustadora tocando como nos filmes. Nenhum aviso. Nem mesmo uma pega* solitária. *Uma para a tristeza,* a mamãe costumava dizer. *Rápido, procure outra.*

A última vez que a vi, ela estava na cozinha com o avental firmemente atado à barriga enorme, rodeada de formas de bolo e vasilhas, pacotes de açúcar e farinha. Ela seria a perfeita rainha do lar, não fosse pelos insultos que dirigia ao velho fogão, que por sua vez cuspia fumaça em sua cara.

– Mamãe? – chamei, cautelosamente. – O que você está fazendo?

Ela se virou para mim, o rosto corado, os cabelos ruivos mais desgrenhados do que nunca, mesclados de farinha.

– Dançando tango, Pearl – ela gritou e brandiu a espátula para mim. – Fazendo nado sincronizado. Tocando sino. O que acha que estou fazendo?

– Só perguntei – eu disse. – Não precisa ficar nervosa à toa.

Não foi um comentário apropriado. Mamãe pareceu a ponto de explodir.

– Estou assando a droga de um bolo.

Só que ela não disse droga.

– Mas você não sabe cozinhar – observei, com razão.

Ela me olhou de um jeito que arrancaria a tinta das paredes se elas já não tivessem descascado há cem anos.

---

* A pega, também conhecida como pica-pica, é uma ave da família dos corvídeos, que compreende os corvos e as gralhas. Aqui, a pega protagoniza uma rima infantil intitulada *One for Sorrow* [Uma para a tristeza], na qual, de acordo com uma velha superstição, o número de aves encontradas determina sorte ou azar: uma para a tristeza, duas para a alegria, e assim por diante. [N. da T.]

– Esse forno está possuído pelo demônio.

– Bom, não tenho culpa disso, tenho? Foi você que insistiu em se mudar para uma casa caindo aos pedaços onde nada funciona. Nós tínhamos um forno bem decente na casa antiga. E um teto que não vazava. E aquecimento que de fato *aquecia* em vez de fazer só barulho...

– Tudo bem, tudo bem. Já entendi – ela examinou um risco vermelho inflamado na lateral de sua mão.

– Talvez seja bom você colocar a mão debaixo da torneira.

– Sim, Pearl, obrigada – ela retrucou – pelos seus conhecimentos médicos.

Mas, mesmo assim, ela se debruçou na pia, ainda praguejando baixinho.

– Ué, não era para as mulheres grávidas serem bem calmas? – perguntei. – Resplandecendo de alegria interior e tudo o mais?

– Não – ela fez uma careta enquanto mantinha a mão sob a água fria. – É para elas serem gordas e propensas a mudanças bruscas de humor.

– Ah – reprimi um sorriso, em parte porque tive pena dela e em parte porque não sabia onde aquela espátula iria parar se eu não fizesse isso.

Uma risada abafada, dessas que saem pelo nariz, soou no corredor.

– Não sei do que você está rindo – mamãe gritou para a porta da cozinha. A cabeça do papai assomou por trás dela.

– Rindo? – ele disse, os olhos bem abertos e inocentes.
– Eu, não. Só vim parabenizar você por controlar suas mudanças de humor com tanta maestria.

Ela o fulminou com o olhar.

– Se bem que, se estou lembrado – ele continuou, mantendo-se fora do alcance dela –, você era muito ligeira nas mudanças de humor antes de engravidar.

Por um momento, achei que ela atiraria a panela nele. Mas não atirou. Limitou-se a ficar parada no meio da cozinha dilapidada, cheia de cascas de ovo e manchas de chocolate, rindo, rindo, até que lágrimas rolaram por seu rosto e já não sabíamos se ria ou chorava. Papai se aproximou e segurou-lhe as mãos.

– Que tal sentar? – ele disse, guiando-a até a cadeira. – Vou lhe fazer uma xícara de chá. Você deveria se poupar.

– Malditos hormônios – ela enxugou os olhos.

– Tem certeza de que é só isso? – papai sentou-se a seu lado com ar ansioso. – Você tem certeza de que está bem?

– Não precisa fazer tempestade num copo d'água – ela disse, sorrindo. – Estou bem. De verdade. É que... bom, olhe para mim. Já estou tão enorme que praticamente preciso de um código postal só para mim. Só Deus sabe como vou ficar daqui a dois meses. E meus tornozelos parecem de velha. É constrangedor.

– Tudo isso vai valer a pena – disse papai.

– Eu sei – ela concordou, com as mãos na barriga. – A pequena Rose. Ela vai valer a pena.

Aí eles ficaram sentados sorrindo um para o outro, de um jeito que dava até enjoo.

– Ah, *claro* – eu disse, com um sorriso largo. – Todas as noites de insônia e as fraldas nojentas. Vai valer muito a pena.

Peguei minha jaqueta pendurada nas costas da cadeira e me virei para ir embora.

– Vai sair? – mamãe perguntou.

– Sim. Vou me encontrar com a Molly.

– Espere, Pearl – disse mamãe. – Venha cá.

Ela abriu os braços e sorriu, e era sempre assim com a mamãe. Por mais irracional que ela tenha agido e por menor que seja a minha vontade de perdoá-la, ela consegue nos envolver e persuadir.

– Me desculpe, meu amor. Eu não devia ter gritado com você. Estou com uma enxaqueca terrível, mas não devia ter descontado em você. Sou uma pobre velha.

Eu sorri.

– É mesmo.

– Você me perdoa?

Mergulhei o dedo na vasilha com a massa de bolo de chocolate e provei-a. Estava surpreendentemente boa.

– Decididamente, não – debrucei-me sobre a barriga dela e lhe dei um beijo no rosto. – Coloque os seus pés de velha para cima e veja um pouco de televisão, tá? Dê ao coitado do bebê um pouco de paz e sossego para variar.

Ela riu e segurou minha mão.

– Fique para tomar uma xícara de chá comigo antes de sair.

– Não posso mesmo. Nós vamos ao cinema, e a Molly já comprou os ingressos – apertei sua mão. – A gente se vê depois.

Mas eu estava errada.

Faz frio na igreja. Escondo as mãos nas mangas da blusa para me aquecer, mas, no decorrer da cerimônia, começo a ter a impressão de que o frio está dentro de mim. Imagino cristais de gelo formando-se em minhas veias. Em volta de mim as pessoas choram, mas não consigo sentir nada, só frio.

Está tudo errado. A mamãe teria detestado tudo isto: a música solene, a voz monótona do padre. Eu não escuto nada. Ainda estou tentando entender como cheguei aqui: como o mundo virou e eu escorreguei da minha vida confortável e previsível para aterrissar aqui, neste lugar estranho e frio.

Pelo menos, já vai terminar. Todo o mundo está cantando o último hino deprimente, mas não posso participar. Limito-me a ficar de pé com os maxilares apertados, perguntando-me com crescente pânico por que não choro. Por que não consigo chorar? Será que as pessoas vão reparar e pensar que eu não ligo? Puxo o cabelo de trás das orelhas e deixo-o cair como uma cortina em volta do rosto. O caixão passa, cheio de cobre brilhante e lírios com seu cheiro adocicado e forte. Por que lírios? Têm uma aparência tão rígida e formal. Mamãe adorava as flores que cresciam onde lhes dava vontade. Madressilvas cor-de-rosa e amarelas enroscadas nas sebes. A forte luminosidade das papoulas à beira da estrada.

E, de repente, sei que ela está aqui. Eu *sei* que, se olhar ao redor, vou vê-la sozinha sentada no meio do banco mais afastado, e ela vai acenar e abrir um sorriso largo para mim e soprar um beijo, como se eu tivesse cinco anos e me apresentasse na peça de Natal da escola. Meu coração bate forte até eu ficar a ponto de desmaiar. Minhas mãos estão tremendo.

Eu me viro para trás.

Vejo fileiras e fileiras de pessoas sérias de roupa escura. Fico na ponta dos pés para enxergar além delas. Molly está lá com sua mãe, de olhos vermelhos. Ela me vê e sorri tristemente. Eu não sorrio de volta.

O banco mais afastado está vazio.

Lá fora, a chuva parou. Permaneço de pé, respirando o ar úmido e fresco, tentando passar despercebida enquanto um bando de gente de roupa escura rodeia o papai. Uma mulher com um chapéu que parece um corvo morto lhe dá os pêsames. Ele, no entanto, não a ouve. Posso ver sua mão acercando-se do bolso para apanhar o celular. Ele quer telefonar para o hospital para ver como o bebê está. Sei disso. Nos raros momentos em que não está com ele, liga praticamente de hora em hora. Posso ver que ele está ficando apavorado com o que pode acontecer se não telefonar. Mesmo agora, quando deveria pensar só na mamãe.

Enquanto o grupo desce a colina, eu fico para trás, mantendo-me longe de todas as mulheres de chapéu e suas condolências, adiando a silenciosa jornada até o cemitério. Quando chego ao reluzente carro funerário, papai já está dentro dele à minha espera. Olho através da janela, mas não consigo enxergá-lo bem por causa do vidro escuro, vejo apenas sua silhueta emoldurada pelo meu próprio reflexo. Meu rosto está distorcido, comprido e fino. Meus olhos, próximos da vidraça, estão enormes. São a única coisa em mim que parece com a mamãe. Eu sempre quis ter o cabelo igual ao dela. *Você faz ideia de como fui perseguida na escola por ser ruiva?*, mamãe dizia. Mas herdei os olhos dela: verdes, com cílios escuros. Por um instante, é como se ela estivesse me olhando através da janela.

– Preciso voltar – digo. – Esqueci o guarda-chuva.

Papai não consegue me ouvir, mas, em vez de abrir a janela, me responde alguma coisa; posso discernir seus lábios movendo-se silenciosamente do outro lado do vidro. Por um momento, nos entreolhamos impotentes. Ele poderia muito bem estar do outro lado do mundo.

Sempre fomos muito próximos, papai e eu. Eu detestava quando as pessoas o chamavam de meu padrasto. Desde as lembranças da minha mais tenra idade, ele sempre foi meu pai. Nunca achei que isso poderia mudar.

Sou capaz de identificar exatamente o momento em que ocorreu. Estávamos de pé diante da incubadora do bebê. Fazia duas horas que a mamãe havia morrido.

– Olhe só para ela – sussurrou. Eu não sabia se estava falando consigo mesmo ou comigo, mas, apesar de não querer e de as minhas mãos tremerem e de me sentir nauseada, forcei-me a olhar para dentro da incubadora.

Na minha mente, ainda conseguia ver o bebê loiro com covinhas de anúncio de fralda que eu havia imaginado quando mamãe me contou que estava grávida, o bebê para o qual Molly e eu tínhamos comprado sapatinhos, vestidos e macacõezinhos felpudos com orelhas de urso.

Então eu vi *ela*. E, por uma fração de segundo, só consegui pensar em como nossa gata Fuligem teve filhotes quando eu tinha cinco anos. Já fazia semanas que eu andava animada. Tinha contado para todo o mundo na escola, e mamãe me deu um livro especial que ensinava a cuidar deles. Toda noite, antes de me deitar, eu olhava para as fotos daqueles gatinhos peludos de olhos grandes. Aí um dia mamãe me levou para o quarto dos fundos e apontou para uma gaveta aberta na parte baixa da cômoda. E lá estavam aqueles ratinhos rosados cheios de rugas, contorcendo-se cegamente, e olhei horrorizada para mamãe porque achei que havia um terrível engano; mas ela simplesmente continuou ali sorrindo e não entendeu quando saí correndo do quarto aos prantos porque os detestava.

E, enquanto olhava para o monte de tubos, a pele fina como papel, cheia de veias arroxeadas, a criatura esquelética e estranha dentro da incubadora, eu me dei conta de que não era o choque que me fazia tremer. Não era tristeza. Era raiva: grande, escura e assustadora. E me senti como se fosse cair e precisasse de algo em que me segurar, senti muito medo e virei-me para o papai...

E ele estava debruçado sobre ela, o bebê-rato, *a causa da morte da mamãe*, absorto como se ela fosse a única coisa que existisse no mundo.

E tudo o que me deu vontade de fazer foi machucá-lo.

– Você gosta mais dela do que de mim, não é? – minha voz soou clara e fria. – Porque... – forcei-me a prosseguir. – Porque ela é sua e eu não.

E funcionou. Foi como se eu o tivesse atingido com um soco.

– Como você pode pensar uma coisa dessas? – os olhos dele se arregalaram em choque. Segurou meus braços. – Você é minha *filha*. Eu nunca poderia amar ninguém mais do que amo você.

E é verdade. Eu sempre *soube* disso. O fator biológico nunca fez diferença. Mas agora...

Desvencilhei-me dele, dando-lhe as costas. O que importavam suas lágrimas naquele momento?

Ele a amava.

Horas depois, fomos de carro do hospital até em casa pelas ruas familiares, irreais de Londres. Já era dia: uma sonolenta manhã de domingo, cortinas abertas. O céu azul estava límpido, e os telhados cobertos de geada brilhavam ao sol pálido e frio.

Papai abriu a porta da frente, e atrás dela estava a nossa vida, como numa exposição de museu: perfeitamente conservada, com centenas de anos de idade.

Atravessei a cozinha, tentando ignorar os chinelos da mamãe largados no corredor e a foto, pregada na geladeira, que tiramos no País de Gales no último verão.

No meio da mesa da cozinha, estava o bolo de chocolate.

Olhamos para ele, confusos. Como é que ainda estava lá? Perfeito, redondo e delicioso. A farinha que ela havia peneirado, os ovos que havia batido.

E foi como se algo desmoronasse dentro do papai. Eu podia ver: de repente mas em câmera lenta, irrefreável, feito uma avalanche. Ele emitiu um ruído estranho – um soluço ou um grito, amedrontado e raivoso. Então pegou o bolo e atirou-o contra a parede. Grandes pedaços escuros espirraram, se espatifaram e escorreram lentamente parede abaixo.

Olhei para aquela massa despedaçada. E algo se quebrou dentro de mim também.

– Foi ela que fez! Ela fez o bolo para nós! – eu estava gritando, mas a voz não parecia minha. Corri para o papai, empurrando-lhe o peito com tanta força que ele cambaleou para trás, surpreso, com os olhos arregalados. Depois eu saí correndo da cozinha.

E de repente, com um ímpeto que me assustou, desejei que fosse ele que tivesse morrido.

De volta à igreja, cruzo a nave lateral até onde estávamos sentados. Parece enorme agora que está vazia. Ajoelho-me para apanhar meu guarda-chuva e colocá-lo na bolsa. Por um momento, sinto-me tão pesada e cansada que acho que não conseguirei me levantar de novo. É confortável aqui. O silêncio não é sufocante como no carro. Apenas sereno. Fecho os olhos e baixo a cabeça. Não rezo nem nada, só sinto a escuridão contra minhas pálpebras. Não quero voltar lá fora. Não quero me sentar naquele carro com papai, ir ao cemitério, comer sanduíches secos e encrespados com todo o mundo, como no funeral da vovó Pam. Não consigo. Só quero ficar ajoelhada aqui, de olhos fechados.

Mas papai está esperando lá fora.

Faço um esforço, levanto e me viro para sair.

E lá está ela. Sentada no meio do banco mais afastado.

Seus olhos estão fixos em mim, e por um instante capto em seu rosto uma expressão que nunca vi antes: uma expressão de intensa alegria e saudade. Mas, quando nossos olhares se encontram, a expressão se desvanece. Ela sorri e se ergue, abrindo os braços para mim.

Não consigo me mexer, não tenho coragem. Qualquer movimento súbito, e ela pode alçar voo como um pássaro ou desaparecer nas sombras. Eu mal me permito respirar.

– Está tudo bem – ela diz, e, a despeito do sorriso, há uma certa apreensão em sua voz. – Sou só eu.

Por fim, caminho devagar até ela. O som dos meus passos ecoa discretamente na quietude da igreja. Alcanço o último banco e me posto diante dela, só olhando, absorvendo cada detalhe: seus cachos ruivos descuidadamente torcidos e presos no alto da cabeça com uma fivela, as pintinhas cor de âmbar no verde de seus olhos, os cadarços puídos de suas velhas botas de beisebol.

– O que você está fazendo aqui? – minhas palavras saem num sussurro.

Por um segundo, ela não diz nada. Depois ri, até que a risada ecoa pela igreja e alcança o teto abobadado de pedra, o som alegre preenchendo o espaço frio em torno de nós.

– É meu *funeral*, Pearl. Eu naturalmente tinha de vir.

Minha cabeça está rodando. Apoio a mão no banco para me equilibrar. Mamãe está aqui. Posso vê-la.

– Mas você está...

Não consigo dizer.

– Morta? – ela faz uma careta engraçada. – Bem, sim. Essa é a parte chata de você comparecer ao seu próprio funeral.

Eu a encaro, indignada.

– Não faça piada disso – eu grito. – Não *ouse*.

Minha raiva ecoa nos nichos escuros acima de nós.

Ela não diz nada, se limita a estender as mãos e segurar meu rosto, me olha em silêncio até seus dedos se umedecerem com as minhas lágrimas. Aí ela me puxa para si, me abraça forte e beija meu cabelo.

Não consigo falar. Grandes soluços emergem do fundo de mim, sacudindo meu corpo todo. Mesmo quando as lágrimas cessam, mantenho o rosto pressionado contra ela. Sei que isso não pode ser real, mas não me importo. De algum modo, ela está aqui. Eu a aspiro, seu cheiro cálido e familiar.

– Como? – tento dizer, mas ela não responde. Não tento perguntar de novo. Isso pode quebrar o encantamento. E, de qualquer jeito, talvez eu não queira saber a resposta. Só posso estar louca ou sonhando. Ou talvez esteja sonhando e se pensar demais vou acordar.

Não me importo. Não faz diferença. Ela está aqui.

Então eu a empurro.

– Por que você perdeu aquela consulta com a parteira? Disseram que, se você tivesse ido, saberiam que havia alguma coisa errada. Teriam feito exames. Por que você não contou a ninguém que estava se sentindo mal?

Ela encolhe os ombros, impaciente.

– Pelo amor de Deus, foi só uma dor de cabeça. Eu não sabia que era sério.

Eu a encaro, e mais lágrimas correm por meu rosto.

– Você nem sequer se despediu.

– Eu sei.

Ela fala com voz sumida, e de repente me assusto.

– É por isso que você está aqui? Para se despedir?

Ela não diz nada, só dá um sorrisinho. Mas o sorriso a faz parecer triste. Ela então se senta, desanimada.

– Ah, Pearl, me desculpe. Que merda de confusão.

– *Mamãe!*

– O quê?

– Estamos na igreja.

– Sim, e a propósito de quem foi a ideia de celebrar essa droga de missa de réquiem para mim? – ela pergunta. – Durou horas. No final, aposto que todo o mundo preferiria estar no caixão.

– Bom, na verdade, foi sugestão da vovó...

Mamãe revirou os olhos.

– Ah – ela diz. – Ah, *fazer o quê.* É. Eu devia saber. Intrometida como sempre. Você sabe como ela é.

Eu encolho os ombros. Só vi a vovó quando eu era criança. Não me lembro direito dela. Mamãe e ela não se davam muito bem. Papai ligava às vezes para vovó quando mamãe estava fora. E a mamãe fingia ignorar que eles mantinham contato.

– Papai diz que ela está muito abalada.

– Ah, está abalada, é? Reparei que ela não se deu ao trabalho de aparecer aqui. Suponho que tivesse algo mais importante para fazer. Uma daquelas aulas de pilates, não foi? A manicure semanal? Ou será que meu funeral não valia o preço da passagem de trem da Escócia até aqui?

Eu a encaro, pensativa. Ela está morta. Está aqui. E continua criticando a vovó.

– Mamãe... – já ouvi um milhão de vezes a ladainha que ela está prestes a iniciar, mas não há como fazê-la parar.

– Ela nunca gostou de mim, Pearl. Nunca achou que eu estivesse à altura do seu precioso filho. Uma horrível mãe solteira aparecendo com um bebê chorão e remelento.

– Com licença, é de *mim* que você está falando.

– Roubei seu querido menino. Ela provavelmente está estourando um champanhe neste momento.

– Na verdade, foi o papai quem lhe disse que seria melhor ela não vir, depois de tudo o que aconteceu. Ele disse que não tinha certeza se você iria querê-la aqui. Ela mandou flores.

– Ah. Bem – ela parece desconcertada e torna a sentar, finalmente sem saber o que dizer.

– Seja lá como for, você não pode simplesmente culpar a vovó. O papai concordou que seria melhor assim. Quer dizer, a cerimônia na igreja. Eu avisei que você não gostaria, mas ele disse que, *por via das dúvidas...* Você sabe. Mal não faz, certo? – eu olho para ela e me ocorre de repente: – Ou faz?

Ela suspira.

– É sempre tão frio nessas porcarias de igreja.

Estremecendo, ela apalpa distraidamente o bolso e apanha um maço de cigarros.

– *Mamãe!*

– O quê? Ah, certo. Sim. A igreja – ela dá de ombros. – É o meu funeral.

Ela se diverte com a própria piada e me olha, curiosa, para ver se estou rindo também.

Não estou.

– Você parou de fumar, lembra?

Ela me lança um olhar daqueles.

– Pearl, me poupe. Uma das poucas vantagens de estar morta é poder *finalmente* deixar de abrir mão das coisas.

E, claro, ela já não está grávida. Afasto esse pensamento. Não quero pensar no Rato. Certamente não quero falar nela. Quero a mamãe só para mim.

Ela traga profundamente e sopra um anel de fumaça. Observamos juntas ele subir flutuando, se expandindo, se desvanecendo aos poucos, até sumir.

Como ela pode estar aqui? A pergunta ainda ecoa dentro da minha cabeça; mas tem uma coisa mais importante que eu preciso saber.

– Quanto tempo você pode ficar? – sussurro, mal ousando proferir aquelas palavras em voz alta.

Ela está prestes a falar quando a porta da igreja se abre com um estrondo. O som me provoca um sobressalto, e, ao me virar, vejo papai.

– Vamos, precisamos ir embora – diz ele, impaciente. – Não podemos fazer todo o mundo esperar.

Eu me viro para onde mamãe estava, mas já sei que ela partiu.

– Afinal, o que você está fazendo aqui? – papai pergunta.

– O quê? – eu o encaro inexpressivamente e mal o escuto. Ela partiu. Eu tinha tanto para lhe perguntar. E agora talvez nunca mais a veja de novo.

– Por que você voltou aqui? – ele diz, com a voz mais branda.

– Esqueci uma coisa – respondo, lutando para conter as lágrimas.

– Encontrou?
– Sim – digo, enquanto o acompanho até a saída. – Encontrei.

Ao cruzar a soleira da porta, olho para trás, para o lugar onde mamãe estava.

Um raio de luz atravessa subitamente o vitral da janela acima de mim, formando uma área com as cores do arco-íris no piso de pedra.

O sol saiu.

ABRIL

– Bom, estou indo para o hospital – papai toma mais um gole de café e sai apressado levando sua torrada. – E vou direto para lá depois do trabalho também, então chegarei tarde em casa. Parece que ontem a Rose passou bem a noite.

Ele está tentando parecer animado e descontraído, como se pudesse enganar a nós dois que está tudo bem. Mas seu rosto se mostra pálido e vincado. Às vezes acordo no meio da noite e o escuto chorando baixinho. Fico deitada no escuro, sentindo que estou xeretando, desejando saber como agir. Depois que o escuto, não consigo mais dormir. Essas noites se esticam e esticam, até que não estou nem dormindo nem propriamente desperta. Às vezes acho que o dia nunca vai clarear e ficarei sozinha nas sombras dessas horas intermediárias para sempre.

– Tem certeza de que não quer vir comigo? – ele pergunta a mesma coisa todo dia, logo que chega à porta, como se fizesse um esforço para não perguntar, mas, no último minuto, não pudesse se conter. Tenta falar como se não se importasse e não fizesse diferença. Não consigo olhar para seu rosto, pois sei que não vai combinar com sua voz, e a constatação de quanto ele quer que eu me importe com o Rato me revira o estômago. Em vez de olhar, amasso com a colher os cereais encharcados na minha tigela.

– Não vai comer? – ele pergunta, já sabendo a resposta.

– Você precisa comer, Pearl – ele não consegue evitar o tom de frustração. – Já tenho preocupações demais sem você...

Ele se interrompe, mas suas palavras pairam entre nós no ar frio.

– Desculpe – diz. – Desculpe, meu amor. O que eu quis dizer...

Procura as palavras para completar a frase, mas não há necessidade de se preocupar com isso. Eu sei o que está querendo dizer.

– Pearl – ele suplica. – Olhe para mim.

Em vez disso, olho para quatro quadradinhos atrás dele, pintados como arcos-íris na parede cinza e descascada da cozinha. Mamãe os havia pintado meses antes quando nos mudamos, experimentando várias cores das latinhas de amostra. Fazia muitos planos para redecorar a casa quando a inspecionamos pela primeira vez. Sempre voltava das lojas com amostras de cortinas e papel de parede. Mas, como costumava ocorrer com todos os seus projetos, depois de um tempo ela perdia o interesse. A mudança demorou tanto, com tudo dando errado e mamãe gritando ao telefone com advogados e o pessoal do financiamento, que sua energia e entusiasmo logo se dissiparam quando nos mudamos. À medida que a gravidez avançava, mamãe ficou simplesmente irritadiça e chorosa com relação ao estado da casa: o papel de parede encardido, as janelas rangentes e cheias de frestas, o vazamento no teto.

Aperto a camisola contra o corpo.

– Pensei que você estava de saída – digo.

– Está bem – papai dá um suspiro, cansado demais para insistir. – Então tente repassar um pouco as matérias da escola. Eu sei que é difícil, Pearl, mas a volta às aulas é na semana que vem. Quando você menos esperar, já estará fazendo provas.

Não respondo. Faz quase um mês que não apareço na escola. Como o feriado da Páscoa foi logo depois do funeral da mamãe, não voltei mais desde que ela morreu. Enquanto fiquei escondida aqui sozinha, tudo parou. Detesto a ideia de voltar para o mundo real, de a vida continuar sem mamãe. E sei exatamente como vão ser as coisas na escola: todo o mundo sabendo, olhando, mas fingindo não saber de nada, cochichando quando acharem que não vou ouvir, como aconteceu quando o pai da Katie Hammond foi preso ou quando soubemos que a Zoe Greenwood estava grávida. A ideia de voltar para a escola me dá náusea.

– Não fique assim – ele diz. – A Molly vai cuidar de você, não vai?

Molly sempre cuidou de mim. Mesmo antes disso.

– Vou passar no supermercado quando voltar para casa hoje à noite – diz papai. – Prepare alguma coisa gostosa para o nosso chá se você não se importar de comer tarde. Ou eu posso trazer comida da rua.

Levanto e jogo o cereal murcho no lixo.

– Não se preocupe – digo.

– Estou tentando ajudar – papai diz, esgotado, e por um segundo fico com tanta raiva que preciso virar as costas para ele. Agarro a borda da pia e olho através da janela para o jardim verde-cinzento que cresce desordenado nos fundos da casa.

– Como você pode ajudar? Como é que qualquer pessoa pode ajudar? – as palavras ficam dolorosamente presas na minha garganta. Ele, mais do que ninguém, *deve* saber quanto é inútil e sem sentido dizer isso.

Mas, quando me viro, ele já saiu.

Tento me alegrar agora que estou sozinha, mas só consigo me sentir pequena. O silêncio e o vazio da casa, de cada um desses cômodos lúgubres, me pesam. E agora estou sozinha e já não posso ignorar a tensão e o enjoo na boca do estômago. Ligo o rádio. Fervo água e preparo um chá que não bebo. Forço-me a tomar banho, virando o rosto para as ferroadas de água quente do chuveiro. Visto as mesmas roupas de ontem. Só que nada disso funciona: tento não esperar, mas o tempo todo espero por ela.

Já se passaram quase três semanas desde o funeral e não há nenhum vestígio da mamãe: nenhum vislumbre, sussurro ou sinal de que ela pudesse estar ali enquanto eu não estava olhando. Às vezes deixo a porta dos fundos aberta, esperando que mamãe a feche. Ela sempre cismou com correntes de ar. Mas o papai só se aborrece com isso. *Pelo amor de Deus, Pearl, o que você está fazendo? Esta casa já é bem fria sem a sua ajuda.*

Uma noite, quando papai teve de dormir no hospital, encontrei o perfume dela no armário debaixo da pia. Sentei na minha cama e o borrifei no ar com esperança de evocá-la. Fechei os olhos. E, por um momento, ao inspirar o cheiro dela, achei que mamãe estava mesmo ali. Achei que quando abrisse os olhos ela estaria me olhando e dizendo: *Não desperdice isso, fique sabendo que custou muito caro.* Mas ela não estava ali, e o cheiro do perfume me doeu por dentro, eu mal podia respirar e precisei fechar os olhos de novo para reprimir as lágrimas. Então coloquei o perfume de volta no armário debaixo da pia.

Voltei à igreja. Achei que, se eu me ajoelhasse no mesmo lugar, baixasse a cabeça e fechasse os olhos, ela teria de retornar. Mas a igreja estava fechada. Uma mulher de echarpe apareceu com a chave dizendo que arrumaria as flores para um casamento no dia seguinte. Será que eu queria entrar? Limitei-me a fazer um gesto negativo com a cabeça. Por que tinha ido até ali? Que besteira. Claro que ela não estava ali. O que tinha dado na minha cabeça? Mesmo assim, enquanto a mulher empurrava a porta com sua mão enfiada numa luva de lã, espiei lá dentro quase esperando ver um movimento nas sombras ou um traço denunciador de fumaça de cigarro. Não consigo evitar. Não importa quantas vezes eu diga a mim mesma que ela não voltará ou que foi minha imaginação ou que estou maluca. O tempo todo, eu espero por ela.

Enquanto desço as escadas, tomando cuidado para não pisar nas tachas expostas do carpete, escuto um farfalhar no cômodo ao lado do meu quarto. Fico imóvel. É o quartinho onde mamãe planejava instalar seu estúdio. Por um momento, fico sem me mexer, as palmas da mão formigando, os ouvidos atentos ao silêncio. Ali está de novo! Subo as escadas correndo com o coração descompassado.

– Mamãe?

Estico o braço com a mão trêmula. Mas, quando empurro a porta, o cômodo está vazio, à exceção da escrivaninha e da cadeira da mamãe, e de várias caixas da transportadora ainda fechadas, marcadas ESTÚDIO DA STELLA com sua caligrafia firme.

Fuligem aparece de trás de uma delas ronronando alto.

– Você – eu digo.

Ela vem até mim e se enrosca nas minhas pernas e, apesar do meu desapontamento, sento na cadeira com ela no colo.

Já estamos aqui há mais de quatro meses, mas ainda parece a casa de outra pessoa. Tem caixas por todos os lados, deixadas onde os carregadores impacientes as largaram naquele dia gelado em que nos mudamos, duas semanas antes do Natal. Pegamos o essencial: caçarolas e frigideiras, cobertores, relógios despertadores. Mas mamãe disse que não valia a pena tirar tudo das caixas até que ajeitássemos um pouco a casa e a decorássemos. Assim, o resto da nossa antiga vida permanece em caixas, protegido e longe dos olhos. O vazio dos cômodos só faz ressaltar como eles são deteriorados e deprimentes. A casa inteira parece ter sido arrumada pela última vez quando os dinossauros andavam na Terra.

– Também não exagera – mamãe disse quando dei minha opinião na primeira vez que examinamos a casa no verão passado. – Ela só precisa de um pouco de carinho.

– E de uns vinte mil de investimento – papai murmurou. – Nem pensar...

Mas mamãe apenas riu e lhe deu um beijo no rosto, dizendo:

– Você vai ver.

E, enquanto nos arrastávamos de um melancólico cômodo a outro, ela os transformava, imaginando paredes de cores vistosas e almofadas de veludo, pisos de madeira polida e tapetes orientais, e a lenha crepitando enquanto Fuligem se estirava diante da lareira e sonhava com camundongos.

– Sonhando com eles? – papai perguntou. – Aposto que este lugar está infestado deles.

O corretor fitou mamãe, impressionado.

– Minha nossa – disse ele. – Você deveria fazer o meu trabalho. Não quer me acompanhar na minha próxima visita a um imóvel?

No fim das contas, o único quarto que ela acabou decorando foi o do bebê. Queria porque queria que ficasse perfeito. Lixou e envernizou o piso de madeira. Removeu a tinta encardida e pintou tudo de branco brilhante. Tirou o papel de parede embolorado, e papai, muito ansioso, a vigiava enquanto ela se equilibrava na escada dobrável.

– Deixe que eu cuido disso – ele implorou, mas mamãe não deixou.

Mesmo derrubando coisas e praguejando, ela terminou o serviço. Aí grudou um forro de papel liso e o pintou da cor de jacintos azuis. Pendurou móbiles e luzes mágicas, e até costurou cortinas na velha máquina da vovó Pam.

– Nunca pensei que você soubesse costurar! – eu disse.
– Claro que sei – respondeu ela. – Eu costumava fazer todas as minhas roupas na época da escola.

Eu a encarei, tão pasma quanto se descobrisse de repente que ela podia levitar. Ela se limitou a sorrir e disse:
– Sei mais do que aparenta, Pearl.

Parece que aquele quarto faz parte de outra casa ou talvez desta casa num universo paralelo onde tudo é diferente. Entrar ali é como aquela cena de *O mágico de Oz* quando tudo muda de preto e branco para colorido.

Não que a gente entre ali agora. A porta – pintada de branco brilhante – permanece fechada.

Meu celular toca. Antes mesmo de olhar já sei que é Molly. Ela liga e manda mensagem todo dia para saber como estou, ansiosa para me ver. Mas toda vez que ela liga eu não atendo, não sei por quê. Achei que ia querer encontrá-la. Ela sempre esteve do meu lado desde que éramos crianças e estávamos começando na escola juntas.

Leio o torpedo dela: *Vc pode me encontrar amanhã? Espero que esteja bem, bj.*

Ela vai querer falar da mamãe e do bebê. Eu não posso lhe contar sobre a mamãe. Molly vai pensar que estou maluca. E sei que não entenderá nada sobre o Rato. Ela adora bebês. Passamos tanto tempo olhando roupinhas de criança e pensando em nomes...

Não quero falar. Nem com a Molly nem com ninguém. Só com a mamãe. Mas sei que ela vai ficar chateada se eu não retornar a ligação, e as aulas começam na semana que vem. Não posso me esconder aqui para sempre. *OK*, digito, mas aí meu polegar fica suspenso sobre a tecla de envio. Talvez mais tarde. Ponho o celular de volta no bolso.

Fuligem pula do meu colo, lançando-me um olhar de reprovação, e salta sobre uma caixa marcada ESTÚDIO DA STELLA (OBJETOS PESSOAIS) para se acomodar num buraco moldado por seu corpo. OBJETOS PESSOAIS. O que será que tem ali? Fico imaginando. Mas penso no perfume e no que ele me fez sentir, e sei que não posso abrir essa caixa.

Eu me aproximo da janela. As cortinas de tela cinzenta, deixadas pelo velho casal que morava aqui, continuam penduradas no trilho. Mamãe as detestava, mas eu gosto de como tudo parece suave e borrado através delas, sem ângulos pontiagudos. Eu as afasto um momento e tudo entra em foco com clareza: o rosa-pálido desabrochando nas cerejeiras que margeiam nossa rua, os ônibus que passam num estrondo com grafite gravado em suas janelas. A velha e simpática vizinha do lado saiu no jardim e cuida dos canteiros na frente de sua casa. Enquanto a observo, ela se levanta, fazendo uma careta de dor ao aprumar as costas, e me vê na janela. Sorri e acena alegremente para mim com uma tesoura de poda. Deixo a cortina fechar de novo.

Papai deve estar no hospital agora. Eu o imagino se apressando por aqueles horrorosos corredores verdes de que me recordo tão bem, ansioso para chegar até *ela*. O que faz lá o dia inteiro, todos os dias? Fica só sentado olhando o Rato? Será que conversa com ela e lhe conta coisas?

– Mamãe? – digo pela última vez. – Você está aí?

Mas tudo o que escuto é a gata ronronando e o alarme de um carro disparando na rua.

Está chovendo tanto que decido tomar o ônibus para encontrar a Molly. Enquanto espero no ponto, me arrependo de ter concordado em vê-la. Talvez seja melhor mandar uma mensagem para ela avisando que não posso ir. Só que aí o ônibus chega, e o senhor na minha frente diz:

– Por favor, querida – e me conduz para dentro, de modo que já não posso recuar.

O ônibus está vazio quando embarco, mas fica apinhado depois de algumas paradas, e o ar está denso e úmido. Uma mulher gorda, carregada de sacolas de compra, se senta, ao meu lado, e fico toda prensada contra a janela. Suas sacolas molhadas encostam na minha perna, deixando meu jeans grudento e frio.

Penso na última vez que vi Molly; eu me lembro de nós duas naquele dia, saindo aos tropeços do cinema escuro para a tarde radiante. Isso foi há poucas semanas. *É estranho*, eu disse quando liguei meu celular de novo. *Papai ligou quinze vezes. O que deu nele? Ele sabia que a gente estava vendo um filme...*

As janelas do ônibus ficaram tão embaçadas que me sinto dentro de uma caverna e começo a ter claustrofobia. Com a ponta do dedo faço um quadradinho na janela enevoada, assim posso ver as ruas sob a chuva. O consultório médico, a lanchonete, o posto de gasolina. Tudo inexplicavelmente do mesmo jeito, como sempre foi durante minha vida inteira.

Este ônibus passa pelo final da rua onde morávamos. Tem um menininho de galocha amarela na esquina, segurando a mão da mãe e pulando nas poças. Olho para os dois pela brecha na janela que começa a embaçar outra vez. Nisso, vejo uma pessoa de costas que vira na nossa rua, uma silhueta escura com guarda-chuva. Será mamãe? Sim! Não tive um vislumbre de cabelo ruivo antes que ela saísse do meu campo de visão? De repente, tenho certeza de que é ela. Só pode ser a mamãe. Sei que é ela.

– Preciso descer! – digo à senhora gorda.

Levanto-me de um salto, apertando a campainha e passando por cima das suas sacolas. Ela estala a língua para mim em reprovação.

– Cuidado – ela diz, enquanto me precipito para a porta. – Tem ovos aqui dentro.

Lá fora continua chovendo a cântaros. Eu não trouxe guarda-chuva e fico ensopada antes mesmo de atravessar a rua correndo e fazer um carro buzinar alto para mim. Não me importo. Dobro rápido a esquina, corro pela rua e, ao avistar a silhueta escura através da chuva, aperto o passo.

– Mamãe – chamo, mas ela está muito longe e não ouve. Estou sem fôlego, mas chegando perto. – Mamãe, sou eu – chamo de novo enquanto a silhueta vira para cruzar a rua...

... e me dou conta de que é um homem. Bem mais alto do que mamãe. Não tem cabelo ruivo. Como pude achar que era ela?

Meu corpo inteiro arde de humilhação enquanto diminuo o passo e tento recuperar o fôlego. Como pude ser tão idiota? E se alguém tivesse me visto? Iam achar que fiquei louca. O pior – meu estômago fica revirado – é que podiam ter razão. O que estou fazendo? Será que estou perdendo a lucidez? As pessoas sempre enlouqueceram de tristeza ao longo da história e na obra de Shakespeare. Talvez a mesma coisa esteja acontecendo comigo.

Olho em torno e me dou conta de que estou parada no meio do pátio diante do número 16, uma casa igual às outras. Não parece mais a nossa casa. Nos poucos meses desde que mudamos, pintaram a porta de branco e pavimentaram o pequeno jardim quadrado na frente. Todos os nossos vestígios desapareceram.

A chuva cola o cabelo na minha cabeça e pinga dos meus cílios, do meu nariz. Meu reflexo me olha de volta na janela hexagonal: uma garota fantasma. Às vezes, quando não consigo dormir e chega aquela hora sombria e irreal da noite, penso que de alguma maneira me separei do meu eu real naquele momento ao sol invernal, fora do cinema, quando ouvi a mensagem do papai no celular e tudo mudou. O meu outro eu está vivendo minha vida real com mamãe e o bebê bonito e perfeito que deveria ter sido a minha irmãzinha. E eu estou presa aqui com o Rato, sem escapatória.

A garota fantasma na janela me observa, com água escorrendo do rosto. Dou-lhe as costas e volto devagar pela rua.

Quando chego ao Angelo's Cafe, Molly já está lá dentro, sentada a uma mesa junto à janela. Parece quase luminosa através da chuva, puxando distraidamente os longos cabelos loiros atrás da orelha, enquanto olha ao redor, ansiosa, à minha espera. Ela acena freneticamente ao me ver, e meu estômago se revira e cravo as unhas na palma das mãos. Quero ficar contente por encontrá-la, mas só tenho vontade de dar meia-volta e ir para casa.

Logo que entro, ela pula da cadeira com lágrimas nos olhos, derrubando um porta-catchup em forma de tomate, que rola para o chão.

– Ah, Pearl – ela me abraça e, apesar de eu estar encharcada, não me solta. – Não consigo acreditar – soluça.

Fico ali rígida, olhando por cima do ombro dela para o trânsito infinito na rua principal. Não quero que Molly chore pela mamãe. Ela não tem esse direito.

Por fim, ela me solta e me encara.

– Sinto muito, Pearl.

– Eu sei – eu me sento pingando sobre a mesa de plástico que imita madeira.

Molly senta também e segura minha mão.

– Veja como você está. Molhada até os ossos. Vou ver se podem trazer uma toalha ou um pano para você.

Antes que ela se mexa, um garçom todo sorridente corre para nossa mesa. Os garçons estão sempre querendo impressionar Molly. Na verdade, todo o contingente masculino quer impressioná-la. Não que ela perceba. Acha que estão só querendo ser gentis, que tratam todo o mundo assim, mesmo quem não é alto, loiro e muito atraente. Mamãe ficava preocupada que isso poderia me incomodar. *Você é bonita também*, dizia. *Só que... de outro jeito.* Mas não me incomoda. As pessoas acham que Molly só tem beleza. Por isso sempre fomos melhores amigas. Eu sempre soube que ela não é apenas bonita.

– Em que posso servir vocês? – o garçom pergunta, esperançoso, com um sotaque do Leste Europeu, a despeito de todo o mundo fazer os pedidos no balcão.

– Não exagere, Molls, estou bem – digo, apertando os dentes para eles pararem de ranger.

– Não está, não – ela diz, preocupada. – Olhe só para você. Está ensopada e tremendo.

– Quer que eu traga uma toalha? Não é problema nenhum.

– Não.

Mas ele não me ouve. Está enfeitiçado por Molly.

– Você poderia fazer isso? – diz ela. – Muito obrigada.

– Eu disse que estou bem – falo um pouco alto demais. Um homem do outro lado do café ergue os olhos de seu prato de ovos com bacon e feijão, e eu me encolho dentro das roupas molhadas, tentando passar despercebida. – Só um cappuccino, obrigada – murmuro, e o garçom se afasta a contragosto, ainda sorrindo bobamente para Molly, embora ela esteja concentrada demais em mim para prestar atenção.

– Fiquei muito preocupada com você.

Não me ocorre nada para dizer. Ainda estou pensando na casa, na menina na janela, na silhueta que eu achei que fosse a mamãe. Tinha tanta certeza de que era ela.

– Queria ter esperado para falar com você depois do funeral, mas a mamãe disse que a gente precisava ir embora – prossegue Molly. – Tenho pensado tanto em você. No que deve estar passando – balança a cabeça. – Deve ter sido terrível, Pearl. Eu estava desesperada para falar com você.

– Bom, desculpe – digo num tom áspero, lembrando todas as vezes que ela telefonou e eu não atendi, todos os torpedos que ignorei, sentada sozinha em casa à espera de mamãe. – Eu estava meio ocupada.

Ela me encara e fica vermelha.

– Eu sei... não tive intenção de... – titubeia, confusa. – Só queria saber se eu podia ajudar em alguma coisa...

A água ainda escorre do meu cabelo, o frio desce pela minha nuca.

– Não tem nada que você possa fazer.

Ela me observa intrigada e arregala os olhos.

– Achei que você gostaria de conversar. Eu sei, não posso mudar nada, mas talvez você ficasse aliviada se contasse o que está sentindo.

Nós duas sempre conversamos sobre tudo. Desde que éramos pequenas. Mas como posso falar agora? O que ela diria se soubesse como me sinto de verdade? *Eu odeio o bebê. Ele é que deveria ter morrido.* Até a adorável, gentil e compreensiva Molly acharia isso um pouco demais. *Eu vi a mamãe no funeral dela e agora estou esperando que ela volte de novo?* Não acho que Molly entenderia.

– Eu pretendia ir à sua casa, mas não sabia se... – ela não completa a frase, e seus olhos se enchem mais uma vez de lágrimas. Desvio o olhar. Sei que estou sendo cruel, mas não consigo parar.

– Eu simplesmente não consigo acreditar... – ela repete.

O sorridente garçom traz nossos cafés. Faço desenhos com a colher na superfície do meu cappuccino.

– Como está o bebê? – Molly diz, por fim. Meu coração bate mais forte. Eu sabia que ela acabaria fazendo essa pergunta.

Encolho os ombros.

– Papai acha que ela vai morrer – seguro um cubo de açúcar no café e observo a mancha marrom subir até quase tocar meus dedos. – Mas ela não morre.

– Não – Molly se agarra a algo em que pode mostrar otimismo. – Claro que não. Deve ser uma lutadora para ter sobrevivido até agora. Ficará mais forte a cada dia.

O cubo de açúcar se desintegra e cai dentro do café.

– Quanto tempo ela vai permanecer no hospital?

– Não sei. Semanas. Provavelmente meses. Foi o que disseram ao papai.

– É como um milagre, não é? Que ela esteja viva.

Eu sabia que não devia ter vindo. Tenho vontade de levantar e sair correndo para a chuva, fugir de Molly, do garçom à espreita e do cheiro de bacon. Mas já me atrapalhei o suficiente para um dia só. Olho, através da janela, os carros que passam.

– A mamãe me trazia aqui quando eu era pequena – falo mais comigo mesma do que com Molly. – Um italiano idoso tomava conta de tudo, imagino que fosse o Angelo. Ele era engraçado.

Mamãe costumava falar italiano com ele para praticar. Dizia que ele era maluco de se mudar para Londres. Disse que um dia nós fugiríamos para a Itália, eu, ela e papai, e moraríamos em uma *villa* caindo aos pedaços, onde ela teria um estúdio cercado de limoeiros, vivendo à base de azeitonas e vinho tinto. Lembro como fiquei preocupada. Era nova demais para saber que a maioria dos planos da mamãe nunca passou de conversa-fiada. Eu não queria me mudar e não gostava de azeitonas, limões ou vinho tinto. Angelo piscava para mim e dizia: "Mas você gosta de *gelato*, não gosta?"

Posso sentir que Molly me observa e se indaga no que estarei pensando.

– Você está bem? – ela sonda.

– Mamãe sempre escolhia uma mesa perto da janela e me dizia para ver quantos carros vermelhos eu conseguia contar. Dizia que, se eu conseguisse contar trinta, ela me compraria um sorvete – quase esboço um sorriso. – Levou um tempão para eu perceber que ela só fazia isso para poder ler seu livro em paz.

Há uma pausa.

– Pearl, naquele dia... – Molly se interrompe, e pela sua expressão eu sei a que dia se refere. – Depois que fomos ao cinema...

– O que tem aquele dia?

– Depois que você recebeu a ligação do seu pai...

Recordo de novo como ouvi a gravação das mensagens fora do cinema, sob o sol forte, e como algo na voz do papai me vez estacar tão abruptamente no meio da calçada que uma mulher acertou meus calcanhares com a roda de seu carrinho. O machucado durou dias, mas naquele momento eu mal percebi, só conseguia pensar na voz do papai. Havia alguma coisa tão... errada nela. *Pearl, você precisa vir ao hospital. É a mamãe. Tome um táxi. Venha o mais rápido que puder.* Ele parecia outra pessoa falando. O tempo desacelerou. Fiquei imóvel na rua movimentada, cheia de gente fazendo as compras de sábado com os filhos, os cachorros e latas de Coca-Cola, e foi como se eu estivesse sozinha.

– Você chegou a tempo de vê-la? – pergunta Molly.

Fecho os olhos e estou de novo voando por aqueles corredores verdes, os pulmões quase estourando... Abro os olhos. Espio os carros, mas são todos pretos e prateados. Nenhum vermelho.

– Sim – digo a Molly, por fim. – Cheguei.

– Falou com ela?

– Sim. Ela me abraçou e disse que me amava – sinto como se estivesse ouvindo outra pessoa falar. – E depois foi como se ela simplesmente tivesse adormecido. Em paz. Estava até sorrindo.

– Ah, Pearl – as lágrimas dela tornaram a rolar.

O garçom enfeitiçado olha em sua direção, talvez na esperança de lhe oferecer o ombro para chorar.

– Podemos pedir a conta? – digo. Sinto-me de repente à beira de desmaiar. Estou de estômago vazio, e o café começa a me dar tontura. – Preciso ir embora.

A chuva finalmente cessou. Paramos desajeitadas diante do café, sem saber o que dizer.

– Vou encontrar o Ravi – diz Molly. – Mas posso acompanhar você se quiser.

– O Ravi? – pergunto, surpresa. – Você continua saindo com ele, continua? – Molly o conheceu quando fomos a uma festa logo antes de a mamãe morrer. Achei que ela não o veria de novo. Molly poderia ter escolhido quem quisesse. Parecia que a ambição de Ravi era se tornar o mais jovem Ministro da Economia na história.

– Para falar a verdade, continuo, sim – Molly diz timidamente. – Há mais de um mês. Está indo muito bem.

– Ah.

É estranho pensar que a vida continua sem mim.

– Você não gosta dele, não é? – pergunta Molly.

– Não é isso. Eu não o conheço. Só o vi aquela vez na festa da Chloé. Ele parecia um pouco... – tento pensar numa forma educada de dizer "sem-graça" – sério.

– Você vai gostar dele quando o conhecer melhor. Sei que vai gostar.

Caminhamos em silêncio com o barulho do trânsito à nossa volta.

– A escola estava esquisita sem você – diz Molly, preenchendo o silêncio. – E o feriado foi um pesadelo. Minha família está me deixando maluca. Liam ouve música alta o dia inteiro. Jake quer uma cobra de estimação e só fala nisso. Callum continua fazendo xixi na cama. Papai e mamãe não estão se falando. *De novo*. Vou ficar contente de voltar à escola. E vai ser ótimo ter você comigo – ela segura meu braço.

Na verdade, nunca ouvi os pais de Molly conversarem, exceto por coisas do tipo *Onde estão as chaves do carro? Eu avisei que chegaria tarde, não tenho culpa se você não me escuta*. Mas a Molly parece bem chateada.

– Senti muito sua falta – ela diz, agora me dando o braço.

Eu me pergunto se ela espera que eu diga que também senti sua falta. Um carrinho de bebê enorme passa como um raio, esguichando água do meio-fio em nossa direção, nos obrigando a desviar. Molly solta meu braço e seguimos lado a lado.

– Você vai vê-lo todo dia? – pergunta Molly. – O bebê?

– O papai costuma ir. Praticamente mora no hospital quando não está no trabalho. Eu nunca o vejo.

– Você não vai também?

Dou de ombros.

– Fiquei repassando as matérias da escola.

– Eu também – ela diz. – Mas lá em casa tem muito barulho. Todo o mundo briga o tempo inteiro. Quando nós duas estivermos de folga dos estudos, deveríamos ir juntas à biblioteca.

Andamos em silêncio por um tempo.

– Talvez eu pudesse ir visitar o bebê com você uma hora dessas – diz Molly. – Estou louca para vê-lo.

Imagino Molly vendo o Rato pela primeira vez. Imagino seu rosto se iluminando e suavizando com um sorriso enquanto cochicha com ela...

– Não – digo. – Você não pode ir.

Molly parece confusa. – Enfim, quando ela estiver melhor.

– Você pode me deixar aqui – digo. – Vou tomar o ônibus.

– Tem certeza? – ela está desapontada. – Eu realmente não me importo de andar com você.

– Vem vindo um – digo, olhando para um ônibus a distância, e, antes que ela possa falar, atravesso a rua correndo. Molly acena para mim quando entro na fila, dá meia-volta e caminha na direção oposta.

Ela já sumiu de vista quando o ônibus chega. No fim das contas, decido ir caminhando.

Quando chego em casa, o sol está brilhando. Entro, tiro a roupa molhada e visto outra seca, ainda pensando na mamãe e em como tive certeza de que a vi. Fico em pânico de repente. Ela está se afastando de mim, e a cada segundo fica mais distante. E se um dia eu acordar e não conseguir lembrar como ela era? Já em certos momentos, tenho de me concentrar para lembrar como era a sua voz, tento escutá-la em minha cabeça. Preciso mantê-la comigo.

Lembro-me da caixa em seu estúdio. OBJETOS PESSOAIS, estava escrito. Corro para lá e encaro a caixa. O que tem ali dentro? Expulso uma Fuligem indiferente de cima da tampa. Aí respiro fundo e retiro a fita adesiva que a lacra.

Encontro ali cartas e cartões, fotos e postais, muitos dos quais agrupados e atados com fita ou presos por elásticos, alguns em caixas de sapato, outros soltos. Deve haver centenas deles. Eu os olho, espantada, mal conseguindo respirar. É como se a história da vida da mamãe estivesse nesta caixa. Pego um dos envelopes de fotos e examino seu conteúdo. As fotografias estão todas misturadas, algumas de quando mamãe era criança, outras de quando era adolescente, uma delas com a vovó Pam antes de adoecer. Olhar as fotos me faz chorar, mas continuo olhando.

A última foto é da mamãe deitada na cama do hospital, parecendo jovem e exausta enquanto me segura nos braços, eu toda nova e amassada. Mas não como o Rato.

Pareço um bebê de verdade. Penso no Rato dentro de sua caixa de plástico esquisita com os tubos entrando e saindo dela. Será que continua lá? Será que ainda tem a mesma aparência? Examino a foto com cuidado. Papai não aparece nela. Mamãe e ele eram amigos antes de eu nascer, mas só ficaram juntos meses depois. Meu pai de verdade também não estava lá. Ele e mamãe tinham se separado antes mesmo de eu nascer. Penso em como papai olhou para o Rato na primeira vez que a viu e, de repente, me vem a vontade de que alguém estivesse lá para me olhar do mesmo jeito.

Devolvo o envelope à caixa e aperto a fita adesiva na tampa. Tem muito mais para olhar, mas não consigo. Talvez outro dia.

O sol brilha agora e saio para o jardim. Era só mato quando nos mudamos, e, com a chegada da primavera, ficou totalmente selvagem. Abro caminho no campo em que se transformou a grama crescida, colorida de amarelo por dentes-de-leão, e vou até o pequeno banco sob as árvores na outra extremidade, cercado de lírios-do-vale entre ervas daninhas da altura dos meus joelhos. Fecho os olhos como fiz na igreja quando mamãe apareceu e tento alcançá-la com minha mente.

Foi aqui que tudo começou: foi onde ela me contou do Rato, no dia em que demos uma espiada na casa pela primeira vez no verão passado. Eu o visualizo na minha cabeça, tentando lembrar cada detalhe. O corretor havia levado o papai lá em cima para conhecer o segundo andar.

– Aqui tem bastante espaço para a suíte principal se um dia você quiser reformar, Alex – ele disse, quando começaram a subir as escadas. – Tudo bem eu chamar você de Alex, não é?

Mamãe havia sumido. Achei que talvez tivesse saído para fumar um cigarro, então fui para o quintal explorar o jardim desgrenhado e a encontrei ali, sentada onde estou agora, quase escondida. Mas ela não estava fumando.

– O que você está fazendo aqui? – perguntei. – Parece que o aguaceiro vai cair de novo a qualquer minuto.

– Só precisava de ar – ela disse. – Eu me sinto um pouco... – mamãe se interrompeu e colocou a mão na boca de repente, como se fosse vomitar.

Olhei para ela.

– Tudo bem? Você está com uma cara horrível.

– Claro – disse ela, ensaiando um sorriso animado. – É só... – a pele dela estava branca, parecia cera com manchas escuras debaixo dos olhos. Ela tentou sorrir. – Estou ótima, verdade.

Eu a encarei surpresa. Depois de ouvir mamãe contando lorotas durante anos, eu sabia que ela era capaz de mentir sem piscar. Nunca sobre coisas sérias. Apenas sobre multas por estacionar em local proibido, multas da biblioteca ou desastres imaginários que significavam que ela chegaria atrasada ao trabalho. Quando eu era criança, mamãe me fazia acreditar nela, ainda que eu soubesse que o que dizia não tinha nada a ver com os fatos. Depois, descaradamente, ela piscava o olho para mim: *É só uma mentirinha inocente, Pearl.* Mas essa não era uma mentirinha inocente. Isso era algo grande; tão grande que ela não conseguia esconder.

– Você não está bem. Por que está mentindo pra mim?

Agora, parando para pensar, ela já não parecia bem fazia um tempo. Estava cansada o tempo todo. Não se alimentava direito.

– Ah, meu Deus. Você está doente, não é?

– Francamente, Pearl, você gosta de fazer drama.

Mas parecia nervosa e não me encarava. Comecei a ficar em pânico.

– É algo sério. Por isso você está mentindo.

Parecia evidente agora. O cansaço e a náusea. Naquela semana, eu tinha ficado três vezes esperando à porta do banheiro, apertada, enquanto mamãe vomitava. Ela dizia que era intoxicação alimentar, mas, ó, Jesus, agora tudo fazia sentido. O papai preocupado com ela o tempo todo. Mamãe tinha até parado de fumar. Devia ser algo grave. Que outra explicação haveria? A fadiga. Largar o cigarro. Enjoo... toda manhã...

Oh.

Olhei para ela, incrédula.

– Você está *grávida* – murmurei.

– Não – ela disse. – Bem... Sim. O papai vai me matar se souber que contei. Ele queria que nós dois juntos lhe contássemos a novidade. Você precisa fingir que está muito surpresa quando nós contarmos.

Fiquei olhando para ela.

– Você vai ter um bebê – disse, sem conseguir acreditar.

– Essa é a ideia.

– E você vive dizendo para *eu* tomar cuidado.
Ela ficou constrangida.
– Na verdade, não foi um acidente.
Tentei assimilar os fatos.
– Mas você é muito velha.
– Não sou, não – ela disse, franzindo a testa. – Tenho trinta e sete anos. Na verdade, sou *bem* jovem, Pearl.
Fiz um esforço para que aquilo entrasse na minha cabeça.
– Para quando vai ser?
– Ainda vai demorar bastante. Estou nas primeiras semanas.
– É menino ou menina?
Ela deu de ombros.
– Não sei. O papai tem certeza de que é menino.
Por um momento, ficamos sentadas em meio a um silêncio embaraçoso. Eu não sabia o que dizer.
– Você está contente? – ela perguntou. – Com o bebê?
– Não sei.
A coisa toda estava me deixando apavorada. Ela pareceu decepcionada.
– Por mim, tudo bem. Só fiquei surpresa – refleti um pouco. – *Você* está contente?
– Eu estaria se não sentisse tanto enjoo – disse ela. – O papai está nas nuvens.
Ficamos ali sentadas um tempo, o cheiro de chuva na terra seca pairando no ar à nossa volta.
É engraçado como as coisas se conectam na cabeça da gente. Quando sinto o cheiro agora, aquele cheiro de chuva e lama e coisas crescendo silenciosamente, parece

um aviso de que a gente não sabe o que vai acontecer; de que o mundo pode virar. Naquele dia, era só um cheiro fresco, limpo e novo.

— Nossa — eu falei por fim, sorrindo. — Um *bebê*.
— Eu sei — disse ela. — Incrível, não é?
— É. Incrível mesmo.

Ela esticou o braço e apertou minha mão.

— Fico tão feliz que você esteja contente. Você vai ser uma irmã mais velha fantástica.
— Posso ficar com a sua jaqueta de couro? — eu disse.
— Você logo vai ficar gorda demais para usá-la.

Parece outra vida, agora que penso nisso. Abro os olhos. Será que funcionou? Ela com certeza estará aqui. Mas o jardim permanece quieto.

— Mamãe? — digo afinal. — *Mamãe*. Você está aí?

Eu espero.

— *Por favor.*

O zumbido preguiçoso de um avião ressoa acima da minha cabeça. Uma lágrima desliza pelo meu nariz. Por que ela seria mais confiável agora que morreu? O pensamento acende em minha cabeça, inconveniente, e de repente perco a paciência.

— Para começo de conversa, por que você deixou ele te convencer a ter esse bebê idiota? — grito para o jardim vazio. — Por que você não está aqui quando preciso?

Faz bem gritar.

— Você é uma chata egoísta!

Estou tão zangada que minhas mãos tremem. Mas a raiva me dá uma sensação boa. De calor, poder e impetuosidade, e eu me sinto viva. Fecho os olhos de novo, respiro fundo e devagar. À medida que a raiva se esvai, sinto-me inerte, exaurida e um pouco ridícula. O jardim parece muito quieto agora. Parei de reclamar e, no entanto... ele não está tão quieto quanto deveria. Do outro lado do muro, há um som de pés pisando nas folhas secas. Eu me sento ereta, tensa.

– Quem está aí?

Por um segundo, penso que talvez seja ela. Mas, se mamãe tivesse me ouvido gritar com ela, não se esconderia atrás do muro: estaria gritando comigo. Então, se não é ela...

Provavelmente é apenas Fuligem, digo a mim mesma, tentando não entrar em pânico. Aí o ruído de pés cessa, e alguém dá um pigarro meio constrangido.

Desconfio que não é a gata.

Meu Deus. Quem quer que seja, deve ter ouvido tudo. Só pode ser Dulcie, a senhora da casa ao lado. Só que aquilo não pareceu nem um pouco tosse de gente velha...

– Você está bem? – uma voz masculina pergunta abruptamente.

Eu gelo. Penso em correr para dentro de casa e me esconder ali para sempre. Penso em me deitar no chão e fingir que sofri um desmaio, uma pancada na cabeça ou um ataque que justificasse tudo ou pelo menos servisse como distração para que eu não precisasse falar nada. Penso em mantos de invisibilidade e matérias nos noticiários sobre dolinas se abrindo e engolindo pessoas inteiras. Mas as catástrofes nunca acontecem quando a gente quer.

– Oi? – diz a voz, indecisa.

No fim, decido que a única alternativa é fingir que não aconteceu nada.

– Sim, estou bem – digo, fingindo surpresa por ele, fosse quem fosse, fazer uma pergunta tão boba.

Há uma pausa.

– Tem certeza? – é uma voz rouca, com um sotaque que parece do norte.

– Sim. Claro. Tenho certeza.

– Você parecia um pouco... – ele obviamente está tentando encontrar uma forma diplomática de dizer "maluca". – Aborrecida.

– Eu disse que estou bem.

Outra pausa.

– Certo.

Será que foi uma ironia? Levanto e olho para o muro, tentando imaginar a pessoa do outro lado. Estará rindo de mim? Cerro os punhos. Não quero que ele ria de mim, e o ataque é a melhor defesa, como mamãe gostava de dizer.

– De qualquer jeito, que diabos você está fazendo aí? Escondido atrás do muro, se intrometendo na... – eu me calo. No quê? Aquilo dificilmente poderia ser chamado de conversa.

– Coisa dos outros – completo descabidamente.

Uma cabeça desponta por cima do muro e não parece impressionada. Além disso, é a cabeça de alguém mais jovem do que eu esperava, com cabelos escuros e rebeldes. Ele não deve ser muito mais velho do que eu, talvez uns dois ou três anos, o que só piora a situação, se é que pode haver coisa pior do que ser apanhado em flagrante xingando arbustos.

– Estou cuidando das *plantas*. Sabe essa coisa que as pessoas fazem nos jardins? Bom – os olhos dele rastreiam a selva de ervas daninhas atrás de mim –, pelo menos é o que algumas pessoas fazem. Tudo bem para você?

De fato, não poderia ser mais torturante.

– Acho que sim – digo, parecendo uma menina de cinco anos de idade.

Ele afasta o cabelo escuro dos olhos e as mechas se empinam em sua cabeça como saca-rolhas enlouquecidos. Ficamos ali desconfortáveis por um momento.

– Certo – ele diz, sem convicção. – Tudo bem.

– Pode voltar para a sua *poda* ou seja lá o que for – digo, incapaz de deixá-lo com a última palavra. Tento fazer com que pareça uma atividade levemente pervertida. – Não me deixe atrapalhar você.

Ele me olha e abre a boca como se fosse dizer algo. Depois balança a cabeça, desaparecendo de novo atrás do muro. Eu me sento no banco, mas, antes que possa sentir alívio, vejo-o mais uma vez, como um palhaço zangado pulando de dentro de uma caixa de surpresas.

– Qual é o problema? Eu só queria ajudar.

– Pensei que você tinha ido embora – finjo tédio e examino minhas unhas.

Pelo canto do olho, vejo que ele balança a cabeça novamente.

– Fique à vontade.

Ele torna a desaparecer atrás do muro.

Continuo sentada mais um pouco enquanto faço de conta que estou só aproveitando um momento de descontração na privacidade do meu jardim, sem me preocupar com o fato de que ele está do outro lado do muro, a poucos metros de mim, pensando que eu sou uma desequilibrada. Mas no final tenho de admitir minha derrota. Levanto e abro caminho até a casa vazia através do matagal. Enquanto avanço, meu celular zumbe anunciando uma mensagem. É do papai.

Espero que você esteja bem. A Rose está fazendo tantos progressos que os médicos acham que ela deve ir para casa nas próximas semanas! Até mais tarde. Bj.

Olho para a mensagem e, de repente, não aguento de raiva, frustração e humilhação. Sem pensar, atiro o telefone no tanque de peixes. Não preciso dele. Estou sozinha agora. O telefone faz um *plop* gratificante, depois sua luz desaparece debaixo da espessa camada verde de algas, afundando na escuridão sem deixar vestígio.

MaiO

– Bobagem! – diz mamãe.

Estalidos e um ruído áspero entram pela janela do meu quarto e sento na cama, totalmente desperta.

– Jesus Cristo! – suspiro.

– Não – ela sorri, com um cigarro entre os lábios enquanto tateia os bolsos à procura do isqueiro. O sol jorra pela janela, fazendo seus cabelos brilharem com uma cor de âmbar. – Só eu. Viu? Sem barba.

Olho para ela. Fico tão aliviada ao vê-la que me sinto zonza, e tão zangada por ela ter demorado tanto que tenho vontade de gritar.

– *Mamãe!*

Mas ela nem me olha; está muito ocupada se inclinando sobre a janela do meu quarto, apoiando todo o seu peso ali.

– Não consigo abrir essa porcaria. Algum imbecil a deixou grudada com tinta. Você não quer me dar uma ajuda? – ela está falando como se nós duas tivéssemos nos visto ainda ontem, não semanas atrás, e definitivamente não como se ela estivesse, bem... morta. É típico. Aposto que nem lhe ocorreu como fiquei chateada nos últimos tempos.

– *MAMÃE*.

– O quê? – ela se vira para mim e afinal repara que estou furiosa. Arregala os olhos com aquela expressão de *Oh, acho que me enganei* que costumava usar com guardas de trânsito. – Pensei que você ficaria contente de me ver.

– FIQUEI – grito o mais alto que consigo; posso ouvir a movimentação do papai lá embaixo na cozinha. – Claro que fiquei contente, caramba.

– Ah, você não me engana. Vamos lá. Desembuche. O que foi que eu fiz desta vez?

Respiro fundo.

– Bom, além de me dar um susto imenso *e* me acordar...

– Então, exato. Precisamente por isso que eu vim aqui – ela dá um sorriso generoso. – Mas você estava tão bonitinha e serena dormindo aí que resolvi lhe dar mais cinco minutos enquanto fumava um cigarro. Só que a janela... – faz um gesto, como se isso explicasse tudo.

– Não – balanço a cabeça. – Pare com isso. Vamos rever os fatos. Por que exatamente você está aqui?

Ela me olha como se eu fosse uma boba.

– Sou seu serviço de despertador. Vamos lá. Levante e brilhe, dorminhoca. Rápido.

Pisco os olhos.

– É o primeiro dia de prova e tudo o mais, não é? – ela fala pausadamente, como se eu fosse uma criancinha. – A esta hora você já não deveria estar se arrumando?

De fato, eu havia ficado deitada na cama fingindo para mim mesma que ainda dormia, tentando não pensar justamente nisso, quando ela apareceu. Não que eu me importe com as provas. Como é que poderia me importar agora? Mas a perspectiva de enfrentar as fileiras de carteiras na sala, *Vocês podem desvirar as folhas agora*, todo o mundo escrevendo loucamente e depois tagarelando sobre isso... Posso passar sem essa. Mas não vou deixar que ela me distraia da minha raiva.

– Não se preocupe com isso – digo, tentando falar baixo. – *Onde diabos você esteve?*

– Ah – ela diz, vagamente. – Bem. É que não posso falar disso.

– Eu pensei que você não voltaria – a essas palavras, sinto meus olhos se enchendo inesperadamente de lágrimas. Levanto e dou as costas para ela. Apanho o roupão no gancho atrás da porta e me enrolo nele.

– Pensou?

– *Sim*. Fiquei esperando você. Desde o funeral.

– Nem me lembre do funeral, Pearl – ela geme. – Não foi horroroso? Eu queria um desses funerais no campo, com todo o mundo se divertindo. Você sabe como é. As pessoas vestidas de amarelo...

– Amarelo?

– E todo o mundo teria de contar histórias sobre como eu era maravilhosa. Bonita e engraçada, esse tipo de coisa. Gentil com os animais, uma amiga generosa e...

– Tudo bem, já entendi.

– ... e aí eles dançariam e ficariam bêbados. *Esse* era o tipo de funeral que eu gostaria de ter.

– Bom, então era melhor você ter feito um testamento – retruco com rispidez. – Parece que foi bem inconveniente você não fazer um. Tem um monte de formulários e coisas que você não preencheu. Papai anda furioso... De qualquer jeito, eu detesto amarelo.

– Foi só um exemplo, claro. Qualquer cor menos preto, foi o que eu quis dizer – ela franze a testa. – Acho que você não entendeu o espírito da coisa, Pearl.

– Eu gosto de preto. Mas você mudou de assunto.

Há uma pausa.

– Bom, desculpe se chateei você. Não achei que se preocuparia.

– E você? Não parece muito preocupada.

– Claro que me preocupo, querida. Não quero que você fique chateada. Mas agora estou aqui, não estou?

– Acho que sim.

Ela finalmente conseguiu abrir a janela e se sentou no parapeito, soprando uma coluna de fumaça na manhã clara. Eu a observo, pensativa.

– Então conte – digo por fim. – Como é?

– O quê? – ela pergunta.

– Você *sabe* o quê.

Ela me dirige um sorrisinho mordaz.

– Você vai ter de esperar e descobrir por si mesma.

– Que ótimo. Isso me animou bastante.

Ela ri.

– Você perguntou.

– Onde então? Só me conte onde esteve desde que eu vi você na igreja.

Ela suspira com impaciência.

– Já disse, Pearl, não vou falar sobre esse assunto.

– Por quê?

– Porque sim.

– Porque sim o quê?

– Porque não é para você saber. Não é para ninguém saber – ela diz de modo conclusivo.

Penso nisso por um momento.

– Abriria um buraco no contínuo espaço-tempo?

– Não.

– Minha cabeça explodiria?

Ela arqueia uma sobrancelha.

– Você realmente quer descobrir?

– Ah, vai. Você não pode nem me dar uma dica?

– Uma dica?

– Sem falar.

– Você quer que eu faça uma *mímica* da vida após a morte?

– Talvez – acho que isso pareceu meio tolo.

– Ah, tudo bem – diz ela. – Claro. E talvez você pudesse tentar exprimir o infinito com... sei lá, com um sapateado?

– Não precisa ser sarcástica – deito na minha cama e coloco as mãos atrás da cabeça. – Só quero saber o que acontece.

– E vai saber, meu amor, pode ter certeza. Mas por ora a *vida* já é complicada o suficiente. Concentre-se nela.

Ela se vira, soprando fumaça para fora da janela.

– De qualquer forma, como vão as coisas no colégio?

Repasso mentalmente. Faz três semanas que voltei à escola. Os primeiros dias foram terríveis, todo o mundo falando alto qualquer besteira para não me chatear ou então apertando meu braço de um jeito comovido. Depois todos esqueceram o assunto. A srta. Lomax, a nova diretora, me chamou à sua sala para "conversar". *Deve ser difícil voltar à escola, ainda mais com as provas chegando, mas um pouco de normalidade provavelmente vai ajudar.* Normalidade! Quase ri quando ela disse aquilo. Mas me contive. Ela se saiu com um longo discurso sobre o conselheiro do colégio e sobre como era importante não reprimir sentimentos. *E, claro, estou sempre aqui se você quiser conversar,* disse, consultando o relógio enquanto me conduzia até a porta.

Eu preferiria cortar fora minha perna, eu disse, mas só depois para Molly.

– Tudo bem – digo à mamãe.

– Fico tão contente que tenha a Molly para lhe dar apoio. É uma grande amiga. Eu sempre disse que ela era como uma segunda mãe, não é? Lembrando você do dever de casa. Assegurando-se de que você tinha tudo de que precisava para a escola. Ela é um tesouro de menina.

– Seja lá como for, agora estamos de folga dos estudos – digo depressa, tentando desviar a conversa de Molly. Não que eu tenha estudado muito. Molly fica tentando me arrastar à biblioteca para repassar as matérias com ela, mas não consigo encarar. De qualquer modo, Ravi também vai sempre lá estudar para suas provas do Nível A*, e eu é que não quero segurar vela, obrigada.

---

* O Nível A (Advanced Level) é um certificado de conclusão do ensino secundário oferecido no Reino Unido e nas antigas colônias britânicas. [N. da T.]

– E como vai... o resto?
– Tipo o quê?
– Bom, você sabe. A Rose? Ela está bem? – mamãe fala num tom ligeiro, como se estivesse apenas puxando assunto. Mas sei que não é assim.

E se ela estiver aqui só por isso? Para ter certeza de que o Rato está bem? Talvez não tenha vindo para me ver. Começo a entrar em pânico. E se ela perceber o quanto eu detesto o Rato? Ela sem dúvida desapareceria, e eu nunca a veria de novo. Não posso deixá-la perceber.

Evito olhar para ela.

– Oh – digo –, ela está bem.
– Mas ainda não veio para casa – mamãe diz. É uma afirmação, não uma pergunta.
– Como você sabe?
– Aqui está silencioso demais. As casas que têm crianças são muito mais barulhentas.
– Ela ainda está no hospital. O papai também passa a maior parte do tempo lá. Mas ela está bem.

Mamãe me olha, esperando que eu diga mais alguma coisa.

– Bom, você tem razão – me adianto, tentando mudar de assunto. – É melhor eu me apressar ou vou chegar atrasada.

Ela faz uma pausa, como se fosse falar, mas parece mudar de ideia.

– Sim, claro. O que tem hoje?
– Inglês – digo, mas continuo deitada olhando para uma mancha marrom no teto, onde pelo jeito a chuva

deve ter se infiltrado há anos. Não quero me separar da mamãe.

– Então vá – diz ela.

Eu sento e a encaro.

– Pensei que viria quando precisei de você – digo afinal. – Mas você não veio.

Ela me olha, empoleirada no parapeito da janela.

– Quando você precisou de mim?

Reflito um instante.

– O tempo todo.

Ela ri.

– Não posso ficar com você o tempo inteiro.

– Por que não?

– Bem, sem falar de todo o resto, isso deixaria nós duas malucas. Você me mataria se eu já não estivesse morta. Ou vice-versa. Você sabe como nós discutimos, querida, se passamos mais de duas horas juntas em um espaço fechado.

– Não discutimos, não – penso sobre isso. – Não mesmo.

Ela levanta a sobrancelha.

– Lembra aquela semana em Barmouth, quando choveu sem parar e nós não pudemos sair do trailer? Você disse que precisaria de aconselhamento psicológico depois daquele feriado. Disse que ficou com transtorno de estresse pós-traumático.

Estranho. Eu havia esquecido esse detalhe. Eu me lembrava do único dia de sol, quando nós todos tomamos sorvete na praia, e mamãe e eu enterramos papai na areia. Mas não posso negar que ela está certa.

– E quando você foi operada de apendicite e eu tirei uma semana de licença no trabalho para cuidar de você?

– prossegue ela. – Você disse que me pagaria para eu voltar ao trabalho. Ajoelhou e implorou.

Dou um gemido enquanto recordo.

– Você ficou tentando cozinhar coisas para mim.

– Sim.

– E depois esperava que eu as comesse.

– Sim.

– E ficou me fazendo assistir *A noviça rebelde* enquanto cantava junto.

– É isso mesmo.

– Bem alto.

– Exatamente.

– E desafinava.

Ela para e me encara.

– *Desafinava?* Acho que não, Pearl. Tenho uma voz ótima. Alta, talvez. Mas não desafinada.

– Sem qualquer modulação – dou uma risada. – E estou sendo legal.

Ela está a ponto de revidar, mas se refreia e sorri.

– Viu só? Você acabou de comprovar o que eu disse. Já estamos discutindo.

– Você está discutindo.

– Olhe, ninguém quer passar vinte e quatro horas por dia com a mãe, viva ou morta. Agora vamos lá. Mexa-se. Você precisa de um bom café da manhã antes das provas.

– Não estou com fome – não consigo mesmo encarar comida desde que a mamãe morreu, mas hoje isso é especialmente verdadeiro. – De qualquer jeito, não estou nem aí para as provas. Qual é o problema?

Ela me olha.

– O problema é que você é brilhante, meu amor, e não quero que ponha tudo a perder por minha culpa e por causa da minha morte prematura. Não vou deixar todo o mundo pôr a culpa em mim. "Coitadinha da Pearl, ela teria ingressado em Oxford *e* em Cambridge, teria ganhado o Prêmio Nobel e escrito uma série de *best-sellers* internacionais..." – ela se interrompe para tomar fôlego – "se não fosse por aquela mãe incompetente que chutou o balde na hora errada." Eu não vou engolir isso. Agora venha. Sem autopiedade. Entre no chuveiro.

Eu me arrasto para fora da cama.

– Mas, antes, me dê um beijo – pede ela.

Vou até ela e deixo que me beije o rosto. Depois me encosto a seu lado no parapeito da janela. Choveu durante a noite, mas o céu pálido agora está perfeitamente azul, e o ar tão limpo e fresco que faz tudo parecer novo e vibrante.

– Está nervosa? – ela indaga.

– Na verdade, não. Só quero que termine logo.

Ela me envolve com o braço e por um momento encosto meu rosto no dela. Mamãe cheira a fumaça e perfume.

– Como? – digo. – Como é que você pode estar aqui?

Ela encolhe os ombros.

– Ora, você queria me ver?

Sei que ela está evitando a pergunta.

– Você vai voltar, não vai?

– Claro – ela atira pela janela a ponta do cigarro, que plana num perfeito arco e aterrissa no tanque de peixes, desaparecendo debaixo das algas para se juntar ao meu celular. – Agora vá. Você vai ser brilhante, meu amor.

Quando volto do chuveiro, o quarto está vazio.
Eu sabia que estaria, mas choro assim mesmo.

Logo que escuto o barulho da chave do papai girando na porta da frente, desligo minha lâmpada de cabeceira e o iPod, fingindo dormir. Hoje ele voltou tarde do hospital; são quase dez e meia. Eu sempre dou um jeito de estar na cama quando ele chega; do contrário, ele fala sem parar do Rato: seus incríveis progressos, como ele agora pode segurá-la nos braços, como as enfermeiras estão ansiosas para me conhecer, e quem sabe eu não posso ir lá em breve? Não importa quanto eu faça cara de tédio, ele continua falando sem parar.

A porta da frente bate e ouço os passos dele na escada. Toda noite a porta do meu quarto se abre. Um retângulo de luz vindo do corredor atravessa o quarto, mas não chega até mim. Ele nunca diz nada, só me observa por alguns segundos. Sou péssima para fingir que estou dormindo. Sempre fui, mesmo quando criança. Eu me esqueço de respirar. Não sei se ele percebe que estou fingindo. No fim, a porta sempre se fecha.

Esta noite, porém, há algo diferente. A porta não se fecha.

– Pearl? – papai sussurra.

Meu coração bate forte. Alguma coisa aconteceu. Abro o olho um pouquinho para tentar ver o rosto dele, mas só consigo discernir sua silhueta contra a luz do patamar.

– Pearl? – dessa vez ele fala mais alto. O pânico cresce dentro de mim. E se houver algo de errado com o Rato? E se eu ficar contente com isso?

Ele se aproxima e senta na cama.

– Você está acordada?

Fico quieta.

– Disseram que ela pode vir para casa em breve, Pearl – noto o entusiasmo em sua voz. – A Rose. Disseram que ela está quase em condições de sair do hospital. Se continuar melhorando, pode ser uma questão de apenas algumas semanas até que ela esteja aqui em casa com a gente.

Ele não podia esperar para me contar. Permaneço deitada sem respirar.

– Pearl?

Quer que eu sente, dê um sorriso e o abrace. Quer que eu fique feliz. Também quero. Mas não sei como.

– Hummm – digo, como se ainda estivesse dormindo. Viro para a parede e dou as costas para ele.

Por um momento, papai não se move. Posso sentir o olhar dele atrás de mim. Posso sentir seu desapontamento. Uma lágrima quente corre de lado pelo meu nariz. Quero que ele diga alguma coisa. Que acaricie o meu cabelo como costumava fazer quando eu era pequena e tinha pesadelos. Era sempre ele que vinha quando eu acordava, aí ficava comigo até eu adormecer de novo. Não havia necessidade de dizer que eu precisava dele; papai simplesmente sabia. Compreendia como eu estava assustada, como me sentia sozinha e confusa deitada ali no escuro.

Mas agora ele apenas levanta e vai embora. Através das pálpebras fechadas, sinto que o quarto escurece quando ele fecha a porta atrás de si.

– Vocês precisam de ajuda?

A vendedora dirige um sorriso luminoso ao papai. Ela evidentemente percebe que estamos perdidos. Ficamos parados diante da frota de carrinhos de bebê, enfileirados como um exército prestes a atacar.

– Sim, precisamos de ajuda.

– O que estão procurando? Vocês têm algum requisito em particular ou estão interessados em um modelo específico?

Papai olha para ela, desorientado, e sinto o calor da vergonha me dominar. Todos os outros clientes na Seção Infantil parecem saber o que estão fazendo ali: mulheres descansando a mão em suas enormes barrigas grávidas e homens segurando crianças que tentam escapulir deles. Papai e eu estamos completamente deslocados, tristes, magros e quietos demais. Fico com receio de que essas pessoas felizes e barulhentas notem. Vão perceber que damos azar. Ou será que estão muito ocupadas se dando as mãos, rindo e limpando o nariz dos filhos? Eu me encolho dentro da roupa.

– Precisamos de um carrinho – diz papai. Ele fica vermelho quando fala e não consegue olhar nos olhos da sorridente vendedora (Julianne, de acordo com o crachá dela).

– Claro, senhor – diz ela. – Mas quer apenas um carrinho ou prefere um com assento para o carro?

– Oh – papai diz. – Eu, ah…

Julianne aguarda com um sorriso fixo.

– Não sei.

– Ah. Bom, na verdade depende para qual finalidade você vai usá-lo – Julianne diz, solícita.

— Para colocar um bebê nele — papai revida.

Olho para meus pés. Nunca deveria tê-lo deixado me arrastar para cá, mas ele parecia tão desesperado. *Por favor, Pearl, não vou conseguir fazer isso sozinho.* Patético. E eu estava pronta a lhe dizer isso. *Foi você quem quis um bebê.* Se não fosse por ele, não precisaríamos comprar um carrinho. Se ele tivesse ficado satisfeito com as coisas do jeito que estavam... Mas aí tive um súbito pressentimento de que mamãe podia estar espiando por trás da cortina ou pela janela e depois me passaria o maior sermão. Assim, de má vontade, deixei papai me convencer a acompanhá-lo.

— O carrinho é... — Julianne faz uma pausa, os olhos pularam do rosto de papai para o meu, descendo para minha barriga claramente sem gravidez e tornando a subir. — É para vocês?

Papai não diz nada. No corredor, um casal e outra vendedora estão aplaudindo uma criança pequena que empurra seu coelhinho meio roído em um carrinho pintado de um verde horroroso.

— Ah, muito bem, Harry — a mulher, em estado adiantado de gravidez, exulta. — Acho que você e o Coelhinho escolheram o modelo para a gente, não é, querido?

Eu odeio eles. Todos eles. Até o Coelhinho.

— Sim — murmuro para Julianne. — É para nós.

— Certo — ela diz, animada. — Bem, vamos começar com uma questão simples. Vocês querem que o bebê olhe para a frente ou fique virado para vocês?

Papai continua sem dizer nada.

– Naturalmente, se for para um recém-nascido... – ela nos dirige um olhar interrogativo, e papai concorda com a cabeça. – Bem, nesse caso vocês precisam de um modelo dobrável que ocupe pouco espaço, com um berço de transporte que encaixe na estrutura, como este aqui ou...

Julianne prossegue. Vejo sua boca mexendo e escuto as palavras, mas elas não significam absolutamente nada. O rosto do papai está tão apático quanto o meu. E, de repente, me lembro de nós dois na sala de espera do hospital no dia em que mamãe morreu. O médico falou sem parar com a gente. *Pré-eclâmpsia. Edema cerebral. Cesariana.* Palavras e mais palavras que não significavam nada para mim.

– É ótimo quando a criança pequena fica virada para você – diz Julianne. – Ajuda a consolidar o laço afetivo...

Lembro tão bem o rosto do médico: pele escura e lisa, cavanhaque curto começando a embranquecer. Era um rosto gentil. No final, ele quis saber se tínhamos alguma pergunta.

– ... rodas pneumáticas são indicadas para terreno irregular – ia explicando Julianne. – Mas, claro, são mais pesadas...

Ela está definitivamente morta?, perguntei.

O médico me fitou surpreso. *Sim*, disse afinal, com os olhos tristes por trás dos óculos. *Sinto muito.*

– E, claro, este aqui – Julianne descansa as mãos de unhas pintadas em outro carrinho – oferece a opção de um assento adicional para um irmãozinho ou irmãzinha se vocês precisarem no futuro.

Ela sorri radiante para o papai. Ele olha para ela, mas tenho quase certeza de que não a enxerga realmente. Ele fica olhando, olhando, até provocar constrangimento e me obrigar a fingir que estou procurando alguma coisa na bolsa.

– Não pensei que seria tão difícil – ele diz, por fim. Sua voz soa estranha. Levanto a cabeça, e meu estômago se contrai. Lágrimas escorrem pelo rosto dele.

– Papai! – Jesus. Por favor, não deixe ninguém ver.

Julianne já não sorri.

– O senhor está bem?

A estúpida mulher-coelhinho de bata olha para eles e rapidamente desvia o olhar. Preciso tirar papai daqui antes que alguém mais perceba.

– Quer sentar? – diz Julianne. – Posso lhe trazer um copo d'água?

– Não – diz papai, tentando se controlar. – Eu só...

E ele vai embora, deixando Julianne e eu nos encarando.

– Ele está bem? – pergunta ela.

– O que você acha? – murmuro e vou atrás dele.

Sigo papai na escada rolante; ele avança depressa e corro para acompanhar seu passo. Finalmente o alcanço na Seção de Cozinha. Eu lhe agarro o braço e faço com que se vire para mim.

– Como é que você pôde fazer aquilo? Como pôde me envergonhar assim?

Por um instante, ele parece tão exasperado que acho que vai gritar comigo ali no meio da loja, rodeado de chaleiras e sanduicheiras. De repente, é como se ele não tivesse energia.

– Preciso de um café – diz, cansado. – Vamos.
Eu hesito.
– Não discuta comigo, Pearl. Só desta vez.
Então eu o sigo de novo pela loja até chegarmos à cafeteria grande e arejada. Sento numa mesa perto da parede com janelas, fico olhando para o estacionamento lá fora enquanto papai vai comprar os cafés.

Ele traz a bandeja e ficamos em silêncio alguns momentos. Papai bebe seu café. Eu contemplo as fileiras e fileiras de carros que se estendem quase até onde minha vista alcança, reluzindo ao sol.

– Eu tinha imaginado tudo, sabe – ele diz por fim.
– O quê?
– Isto. Vir aqui e comprar o kit completo. Berços e roupinhas. Foi antes. Quando a mamãe estava grávida. Eu imaginava como seria. A mamãe fazendo de conta que não estava animada, reclamando dos pés doloridos, fazendo todas as vendedoras correrem em volta dela. E você fingindo que não queria estar ali, mandando torpedos para a Molly sem parar e depois escolhendo todas as coisas mais caras da loja. E eu apenas... feliz.

Ele olha através da janela para um ponto distante, vendo coisas que não posso enxergar, lembranças do que nunca ocorreu. Faz calor lá fora. O verão chegou de repente, e todo o mundo está de camiseta e bermuda ou de vestido leve. Mas aqui dentro o ar-condicionado é forte, e estremeço.

– Todo dia é uma coleção de pequenas coisas que não acontecem – diz papai.
– Do que você está falando?

Ele permanece quieto um minuto, refletindo.

– Pensei em organizar os CDs ontem – diz, afinal. – Você sabe que a mamãe sempre os colocava na caixa errada ou deixava jogados em qualquer lugar. E eu tinha de checar e pôr todos eles no lugar certo. Isso me deixava maluco.

Era verdade. Eu entrava na cozinha e lá estava ele com a cara vermelha e aborrecida, mexendo nas caixas e dizendo *Ela colocou seu maldito Abba junto com meu Wagner. De novo!*, como se alguém se importasse ou soubesse do que estava falando. E mamãe bufava e rebatia que *Claro, Hitler era o maior fã de Wagner, como você sabe.*

Papai olha para mim.

– Mas ontem estavam todos lá. Nas suas prateleiras, dentro das respectivas caixas e em perfeita ordem. Do jeito que deveriam estar. Exatamente como eu os deixei.

Não digo nada.

– Você pode viver o dia a dia. Pode seguir em frente e se convencer de que está tudo bem. Mas são as coisas inesperadas... – diz, a voz falhando.

Por favor, não o deixe chorar de novo.

Ele me dirige um olhar hesitante.

– Você também sente isso?

Olho de volta para ele.

– Não sei por que você não arranja logo um iPod.

Ele pisca.

– Não sou seu inimigo, Pearl. Por que tenho a impressão de que acha isso?

– Não sei do que você está falando – digo, mas não consigo olhá-lo de frente.

Terminamos o café em silêncio.
Não retornamos à Seção Infantil.
– Vou comprar o carrinho no site da loja – papai diz a caminho de casa.
Mas não posso deixar de encarar isso como uma vitória. Mesmo que a falta de carrinho não signifique a falta de bebê.

Papai me deixa em casa antes de seguir para o hospital, sem se dar ao trabalho de perguntar se quero ir com ele. Saio do carro em silêncio, e ele não se despede. Subo para o meu quarto, apanho as anotações da escola para ler, mas não consigo me concentrar. Só consigo pensar no Rato. Enquanto ela permanece no hospital, quase chego a me convencer de que não existe. Logo, porém, estará aqui em casa o tempo todo.

Vou até o corredor e paro diante da porta branca e brilhante de seu quarto. Lentamente, empurro a porta e entro. Não venho aqui desde que mamãe morreu. Perto do berço, há uma cadeira de balanço esquisita. Mamãe a pintou e encheu com uma pilha de almofadas forradas com retalhos das cortinas do meu antigo quarto de bebê. Eu havia me esquecido completamente disso até que os vi: os elefantes carregando balões na tromba. Eu tinha ficado contente que ela ficasse com alguma coisa minha, o bebê rechonchudo e sorridente de cachos loiros. Eu a imaginava dormindo tranquilamente em seu berço, com o polegar na boca e as faces coradas, debaixo da pequena colcha bordada que Molly e eu escolhemos para ela. Eu me sento na cadeira e me balanço devagar, para a frente e para trás. Fecho os olhos e me imagino segurando o bebê que ela deveria ter sido. Ela sorri, balbuciando, estendendo os dedinhos perfeitos para mim...

Paro a cadeira bruscamente com o pé. Aí levanto e saio do quarto, fechando a porta às minhas costas.

Esse é o quarto dela, não do Rato.

O Rato é um impostor.

JUNHO

– Não acredito! – exulta Molly, me abraçando logo que saímos da sala de aula. – A gente nunca mais vai ter de fazer outra prova para o resto da vida se não quiser.

O barulho à nossa volta é ensurdecedor, todo o mundo entusiasmado falando, se abraçando ou trocando ideias sobre a prova.

– Você vem comemorar com a gente? – Molly diz, me dando o braço enquanto saímos em fila para o sol da tarde. – A classe está combinando de ir ao parque mais tarde.

Mas eu só quero ficar sozinha num canto.

– Desculpe. Preciso voltar – digo. Sei que ela vai achar que é por causa do bebê e deixo que pense assim.

– Ah – o rosto de Molly murcha. – Que pena. Será que você não tem tempo de tomar um café rápido comigo e o Ravi? Ele vai fazer a última prova do Nível A amanhã e não ficará muito tempo.

– Não posso.

Caminhamos juntas até o portão da escola.

– Como estão as coisas? – pergunta Molly. – Como vai a pequena Rose?

– Bem – digo. – Ela vem para casa na próxima semana.

– Isso é fantástico.

– É. Fantástico.

Ela me olha com curiosidade.

– Você não parece muito animada.

Dou de ombros.

– Eu gostaria que você conversasse comigo, Pearl – ela diz. Fica quieta um momento, com uma ruguinha na testa. – Está estranhando a ideia de ficar com a Rose em casa? – arrisca, afinal. – Isso faz você pensar na sua mãe?

Fico quieta.

– Sei que deve pensar nela o tempo todo, mas você acha que vai ser pior? Ficar com a Rose, mas sem a sua mãe?

Paro de andar e a encaro. Como ela sabe que é isso que estou sentindo? Será que entenderia sobre o Rato? Será que posso lhe contar?

– Você pode se abrir comigo, viu? – diz Molly.

– Ah, olha lá – fico aliviada ao encontrar um jeito de mudar de assunto. – É o Ravi, não é?

É fácil reconhecê-lo, embora eu o tenha visto só uma vez, sobretudo porque é tão alto, mais ou menos uma cabeça acima de todo o mundo em volta dele, grandalhão e ligeiramente desengonçado. Está de pé ao lado do portão. Eu tinha me esquecido de seu ridículo topete torto. Seu rosto se ilumina quando vê Molly, e ela corre para beijá-lo. Ele tem de se curvar para alcançá-la.

– Vocês ainda não foram apresentados, não é? – Molly diz sorrindo quando me aproximo. – Ravi, esta é Pearl, a minha melhor amiga. Pearl, este é Ravi.

– Oi – ele diz nervosamente, parecendo ainda mais desajeitado. – Muito prazer.

Ravi estende a mão. Olho para ela e rio.

– Que sério, hein?

– Oh, sim, claro – ele se constrange. – Desculpe.

Molly o envolve com o braço.

– Ravi estava mesmo ansioso para conhecer você, Pearl. Por algum motivo, eu duvido.

– Sim – diz ele com um sorriso. – A Molly fala muito de você.

– Ai, ai – digo. – Bom, não acredite em nada do que ela diz.

Ele ri alto, como se eu tivesse dito alguma coisa engraçadíssima.

– Não se preocupe – diz Ravi. – É só coisa boa.

– Espero mesmo que sim – falo em tom de brincadeira. Mas, de repente, me pergunto *o que* ela disse ao Ravi sobre mim. Obviamente lhe contou sobre minha mãe. Talvez seja por isso que ele se esforça para ser supersimpático. E o que mais? *Nós éramos realmente muito amigas, mas...* Mas o quê?

... mas nós nos distanciamos?

... mas a Pearl tem se comportado como psicótica infernal desde que sua mãe morreu?

... mas não preciso mais dela porque agora tenho você?

Talvez ela nem fale de mim. Imagino que os dois tenham mais o que fazer quando estão juntos. Uma imagem perturbadora me vem à cabeça: Ravi com pouca roupa, as pernas magricelas e os joelhos pontudos, os óculos embaçados e meio tortos.

– Bom, tenho de ir embora – digo com firmeza, tentando expulsar do pensamento o Ravi pelado.

– Ah – diz o Ravi real e todo vestido. – Você não vem com a gente? Molly achou que você iria comemorar. Eu gostaria de conhecer você melhor – ele parece sincero.

– Infelizmente não posso – digo.

– Nem rapidinho? – diz Molly. Ela segura minha mão. – Por favor?

Olho para ela, para seu rosto gentil e suplicante, e me dou conta de quanto sinto sua falta.

– Bem... – digo. Quem sabe. Talvez eu devesse dar uma chance ao Ravi. Talvez ele não seja tão mau assim.

– Ah, vamos lá – Ravi insiste. – Senão a gente não vai se ver mais até Molly e eu voltarmos da Espanha.

Eu o encaro.

– O quê?

– Ah, sim, eu ia lhe contar – diz Molly, desajeitada. – Mas não tive oportunidade.

Sei que ela está certa; não teve mesmo oportunidade de me contar. Nós só nos vimos na sala de provas. Ainda não arranjei outro celular e nunca atendo o telefone em casa. Faz semanas que não abro meu *computador*. Isso, porém, não impede que eu sinta como se ela tivesse guardado um segredo de mim.

– Vocês vão para a Espanha? Juntos?

– Os pais do Ravi têm um apartamento na Espanha. Costumam passar um mês lá no verão, e perguntaram se o Ravi e eu não queríamos ir também – ela me olha, ansiosa.

De repente, eu me lembro de tudo o que havíamos planejado fazer no verão depois das provas. Estávamos pensando nisso desde o verão passado. Festivais. Talvez algumas viagens. Cruzar a Europa de trem se Molly conseguisse dinheiro suficiente e não precisasse tomar conta dos irmãos. Papai tinha ficado preocupado. *Relaxa*, mamãe disse. *Ela já está crescida. Deixe-a viver suas aventuras.*

– Mas você sempre toma conta dos meninos durante as férias de verão – minha voz soa um pouco embargada.

– A mamãe vem fazendo muitos plantões e ficará em casa durante o dia. No restante do tempo, os pequenos terão uma babá. Papai diz que estou sendo egoísta e não podemos nos dar ao luxo de pagar alguém quando eu posso fazer isso de graça – ela parece chateada. – Mamãe diz que tudo bem. É mais um pretexto para eles discutirem.

– Não se sinta culpada – diz Ravi, passando o braço em volta dela. – Você cuida dos seus irmãos a toda hora. Seus pais precisam aprender a lhe dar valor.

Eu repetia isso o tempo inteiro para Molly. Agora é Ravi quem lhe diz isso. Olho para seu ridículo topete cheio de gel e seus ridículos óculos de grife, e me dá raiva dele.

Ficamos ali um momento, sem jeito, enquanto os outros alunos passam por nós trocando tapinhas nas costas e impressões sobre a prova. Aí percebo que Ravi está esperando que eu o apoie para tranquilizar Molly.

– Realmente não posso ficar – digo. – Preciso ir embora.

Eu me viro e sigo na direção do Parque Heath antes mesmo que Molly possa me dar um abraço.

– Pearl – ela chama. – Você me liga depois? Não gosto de telefonar para a sua casa porque posso interromper alguma coisa... ou atrapalhar. Queria que você arranjasse um celular novo.

Mas não vou arranjar.

Quando olho para trás, ela e Ravi estão descendo a ladeira de mãos dadas, rindo juntos.

Quando chego em casa, a porta da frente não abre direito. Empaca em alguma coisa grande que está atrás dela no vestíbulo. Empurro-a ao máximo e me espremo no vão. Na entrada, há um carrinho de bebê enorme, com espaço suficiente para acomodar trigêmeos. É um desses modelos elegantes e antiquados, só que novo, todo azul-marinho e prateado com chamativas rodas brancas. Julianne havia nos mostrado um assim na loja. *Se dinheiro não for problema, vocês podem considerar um desse tipo...* Ele parece totalmente deslocado no nosso vestíbulo dilapidado. Olho para ele, detestando-o. Por que o papai não comprou um carrinho normal como todo o mundo? Para sua menininha, só do bom e do melhor, claro.

Vou para a cozinha, fechando a porta atrás de mim para não ver o carrinho. Embora o dia esteja claro lá fora, a cozinha se mostra melancólica, cheia de sombras. Há um bilhete sobre a mesa.

Hoje à noite vou ficar até tarde no hospital de novo. Não deu para ir ao supermercado. Desculpe, meu amor. Deixei dinheiro para você pedir comida. Papai. Bj.

Rabiscado no pé da folha, como uma lembrança tardia, se lê:

Espero que você tenha ido bem na prova.

Escrevo embaixo:

Não fui bem, não, muito obrigada pelo interesse.

Eu me sento olhando o bilhete por um instante, depois o amasso e jogo na lixeira. Devolvo os cardápios para viagem à gaveta e enfio o dinheiro no bolso. Aí me sirvo de um copo d'água e me sento de novo, ignorando o ronco em meu estômago e olho as sombras matizadas das árvores que dançam no chão da cozinha.

– Bem – a voz da mamãe vem das sombras atrás de mim. – Você sabe mesmo como comemorar.

– Que inferno – digo, tentando dissimular meu alívio ao vê-la. – Não apareça desse jeito.

– Bom, é um prazer ver você também, querida filha – ela me dirige um sorriso radiante. – Mas me conte por que você está sentada sozinha aí no escuro? Sua última prova não foi hoje? Você não deveria estar participando de alguma festa depravada, da qual seria melhor eu nem tomar conhecimento?

– Estou cansada.

– Mas achei que você estaria fora com a Molly.

– Não, ela saiu com o novo namorado, *Ravi* – digo com o máximo desprezo que me é possível.

– Pode me chamar de Sherlock Holmes, mas será que estou captando uma certa falta de entusiasmo pelo amor da vida de Molly?

– Você sabe como ela é. Os namorados dela são sempre uma calamidade total.

– Ai, ai, coitada da Molly – suspira mamãe. – Ela é uma menina inteligente. Por que sempre sai com esses garotos que a tratam mal?

– Ah, não – digo depressa, pensando em Jay, o último namorado de Molly, que tinha muitas outras namoradas e uma noiva grávida, e no seu predecessor Ozzy, que trabalhava no mercado e guardava DVDs piratas na casa dela. Molly não fazia ideia do que se passava até a polícia aparecer. – Ele não é esse tipo.

– Então o que tem de errado com ele?

Penso um minuto e não encontro uma resposta.

– É difícil explicar – digo, afinal.

Ela puxa uma cadeira e se senta a meu lado.

– É arrogante?

Penso no assunto.

– Não.

– Esquisitão?

– Não.

– Então o que ele tem de errado? É grotesco? Volúvel? Dominador? Desmazelado?

– Não, não. Nada disso. É só que...

– O quê?

Levanto e me sirvo de mais água enquanto tento identificar o que me desagrada nele.

– Você sabe como a Molly é. Ela sempre vê o melhor nas pessoas. Poderia sair com um *serial killer* bígamo e acharia alguma coisa boa para dizer dele. Que seu sorriso era bonito ou algo assim. Que teve uma infância difícil.

– Mas você ainda não explicou qual é o problema desse namorado da Molly. Ele não é um *serial killer* bígamo, certo?

– Não.

– Então o que ele tem de errado?

O que me irrita é que não consigo pensar em nada.

– Ele frequenta aquela escola grã-fina lá no alto do morro.

– E daí?

– Quando fomos apresentados, ele me deu um aperto de mão – digo, sem conseguir ser muito convincente. – E... ele é alto demais.

Mamãe dá uma risada.

– Bom, se isso é o pior que você tem a dizer dele, a Molly deveria se achar muito sortuda. E você deveria ficar feliz por ela, em vista do seu histórico de atrair fracassados e imorais.

– Ele riu de todas as minhas piadas, mesmo sem terem muita graça – digo, ainda procurando detectar o que há de tão irritante nele.

– Ah, bom. *Agora* entendi. Ele é claramente maluco.

– Ah, ah.

– Não lhe ocorreu que talvez ele estivesse um pouco nervoso? Os meninos têm pavor das melhores amigas de suas namoradas. E com razão. Eles sabem que, se fizerem alguma coisa errada, é a Melhor Amiga que vai bater à sua porta para arrancar-lhe uma bola ou duas – ela ri. – Lembra quando você e Molly encontraram aquele ex horroroso dela no mercado e você disse o que pensava dele na frente de todo o mundo?

Era o Ozzy. Sorrio. Sim, eu lembro.

– Você recebeu uma salva de palmas, não foi?

– Foi.

Tinha sido divertido. Molly ficou muito constrangida e chateada quando o vimos, e ele se comportou de um jeito insuportável, sorrindo e piscando para mim, dando uma de folgado e ignorando completamente a Molly. Eu me enfureci e disse exatamente qual era a minha opinião sobre ele.

Depois, Molly ficou superagradecida. *Tenho tanta sorte de ter uma amiga como você.* A lembrança se torna vívida para mim. Eu tinha quase esquecido como era a nossa amizade.

– Mas esse Ravi – reflete mamãe – parece um doce. Para ser sincera, eu realmente não entendo qual é o problema.

Dou um suspiro.

– Só acho que ela poderia encontrar coisa melhor.

Mamãe sorri.

– Lembra quando você estava saindo com aquele rapaz horroroso, como era mesmo o nome dele... Baz?

– Taz. E eu não estava realmente saindo com ele.

– Eu logo vi que ele era um... bom, não vou dizer com todas as letras. – Ela sorri com cara de santa. – Mas eu não disse nada... *não diria* nada, pois não queria interferir.

Engasgo com a água que estou bebendo. Mamãe se aproxima e me dá uns tapinhas nas costas.

– Acontece, Pearl, que, quando amamos as pessoas, devemos apoiar suas escolhas mesmo sem concordar. Eu sabia que deveria deixar você cometer seus próprios erros, então guardei minhas opiniões para mim mesma.

– Não, senhora. Quando é que você guardou suas opiniões para si mesma?

Mamãe fica surpresa.

– Bom, com toda certeza, essa foi minha intenção.

– Você chamava ele de... vamos ver se eu lembro... "chato de galocha egocêntrico".

– Chamava, é? – mamãe diz, vagamente.

– Sim. *Na frente dele.*

– Ah. Bom. – Ela vai até a geladeira e abre a porta, de modo que não posso vê-la. – Aquilo era diferente. Sou sua mãe. E, de qualquer maneira... – ela estica a cabeça por trás da porta. – Eu estava certa, não estava?

Mamãe torna a desaparecer e se ouve um som de coisas retinindo na geladeira, seguido de resmungos e xingamentos abafados.

– Você continua interferindo até agora – murmuro.

A cabeça dela surge atrás da porta de novo.

– O que foi?

– O que você está *fazendo*?

– Por que só tem isto na geladeira... – mamãe segura numa das mãos um pepino murcho – e isto? – com a outra mão, atira na parede um naco de queijo, que parece uma peça de museu, e produz um estalido de pedra contra pedra. Um pedaço se parte e cai no chão com um baque.

Encolho os ombros.

– Papai não tem tempo de ir ao supermercado. Passa praticamente todas as noites no hospital.

Mamãe se imobiliza de repente.

– No hospital – ela diz em voz baixa, falando consigo mesma. – Com a Rose – por um momento, é como se tivesse esquecido que estou ali. Aí olha para mim. – É lá que ele está agora?

– Sim.

Ela me observa com atenção.

– E você não está.

– Não.

Os olhos de mamãe analisam meu rosto.

– Você vai vê-la de vez em quando?

Fico tensa. Não posso permitir que ela descubra a verdade. Nunca me perdoaria. Sei que não perdoaria. Sempre foi famosa por guardar ressentimento.

– Tenho estado muito ocupada mesmo – digo sem olhar para mamãe. – Com os estudos e tudo o mais.

– Mas ela está bem?

– Sim – faço uma pausa. – Vai sair do hospital em breve.

Ela cobre a boca com a mão e me dá as costas. Não fala de imediato. Quando se vira para mim, seus olhos estão marejados.

– Ah, Pearl. Isso é maravilhoso. Simplesmente maravilhoso, não é?

Eu hesito.

– Sim.

– Você não parece muito contente.

– Estou cansada, só isso.

– E o papai? Ele está bem?

– Está.

– Você nunca fala deles – há uma nota de repreensão em sua voz. – Eu me pergunto por quê.

Tira seu isqueiro prateado do bolso e acende a chama, que brilha na penumbra. Mamãe a segura na minha direção, clareando meu rosto.

– Sabe, estou mesmo bem cansada – digo, virando para o outro lado. – Acho que vou tomar um banho de banheira.

Achei que ela me deteria, que perceberia minha evasiva para não falar de papai e do Rato. Mas, em vez disso, ela fecha o isqueiro e se inclina para me dar um beijo.

– Você merece descansar. Boa noite, meu amor.

Olho para ela enquanto saio da cozinha.

– Boa noite, mamãe.

Ela sorri para mim em meio às sombras.

Mas, quando me espremo para passar pelo carrinho idiota e subo as escadas, posso sentir o pânico crescendo dentro de mim. Não posso simplesmente sair dali e deixá-la sozinha. Volto correndo para a cozinha.

– Você vai voltar logo, não vai?

Mas estou falando com as sombras. Mamãe se foi.

Quando desço as escadas depois do banho para ver se a mamãe voltou durante minha ausência, papai chega, batendo a porta contra o carrinho de novo.

– Aí está o carrinho – digo a ele. – Tem certeza de que é grande o suficiente?

– Ah – ele diz, pouco à vontade. – Sim, chegou hoje de manhã. É bem grande, não é? Talvez a gente precise reorganizar um pouco o vestíbulo.

— Bem grande? A gente poderia praticamente morar nele. Por que você não arrumou um carrinho normal como todo o mundo?

— Na verdade, não fui eu que o comprei.

— Como assim?

— Foi... um presente.

— Um presente? De quem?

Ele hesita.

— Da vovó.

— A vovó?

— É.

Eu o encaro, imaginando a reação da mamãe.

— Bom, você vai ter de devolvê-lo.

— É claro que não vou devolvê-lo. Nós precisamos de um carrinho.

— Mas a mamãe não ia querer que *ela* comprasse um carrinho para a gente.

— A Rose é neta dela, Pearl. Sei que a mamãe e a vovó tinham suas diferenças, mas a vovó se preocupa com a gente. Ela sabe que nossa situação não é fácil e quer nos ajudar, só isso. Tenho certeza de que a mamãe ficaria agradecida.

— Não ficaria, não. Ela acharia que é uma traição. Não ia querer nada da vovó.

Papai balança a cabeça.

— Ela é minha mãe, Pearl.

— Sim. E detestava a minha mãe.

— Não é verdade.

— Sei que elas não tinham as mesmas opiniões, mas a vovó não detestava a mamãe, de jeito nenhum.

– Detestava, sim! – grito – Não adianta tentar esconder. Mamãe me contou tudo. A vovó achava que ela não estava à sua altura e a criticava o tempo todo. Torcia para vocês se separarem. Era por isso que as duas nunca se deram bem nesses anos todos.

– Não foi bem assim.

– Ah, não? Agora você está chamando a mamãe de mentirosa?

– Não – diz ele. – Claro que não.

– Pois é o que me parece.

– Olhe, você está chateada. Podemos falar disso mais tarde?

– Falar o quê? – dou-lhe as costas e subo as escadas pisando duro. – Não há mais nada para falar.

– É isso aí – papai diz enquanto atravessamos o estacionamento do hospital. Ele carrega o assento de bebê com todo orgulho e cuidado, como se já houvesse uma criança ali. – Você acredita que finalmente chegou o dia?

– Não – ando atrás de papai, e ele se vira tentando ler minha expressão, mas o sol o ofusca.

Ele espera até que eu o alcance.

– Sei que isso é estranho para você – diz enquanto nos aproximamos das enormes portas giratórias do saguão. – Sei que deve estar ansiosa. Para falar a verdade, eu mesmo estou um pouco apreensivo. Mas sinceramente, amor, quando ela estiver em casa e você conhecê-la melhor, vai mudar de ideia.

Não tenho nenhuma intenção de conhecer o Rato, nem paciência de começar outra discussão. Além disso, o tom contundente da mamãe quando conversamos sobre o Rato ainda está fresco na minha memória. Assim, deixo papai falar. Está tão nervoso e entusiasmado que as palavras vão rolando de sua boca. Parece diferente. Ou talvez já não pareça diferente, é isso. Ele parece o papai de novo; mais velho, com o cabelo branco nas têmporas e rugas ao redor dos olhos, mas é como se por dentro ele lembrasse a maneira como era antes de tudo acontecer. Sinto uma pontada de inveja. Quero saber como ele conseguiu.

– Vai dar tudo certo – diz ele quando cruzamos a porta. Coloca a mão no meu ombro, e por um momento fugaz quase desejo que esteja certo.

É o cheiro que faz isso; logo que entramos no hospital, acho que vou ficar enjoada. Minhas roupas ficaram com esse cheiro por dias, depois que mamãe morreu. Eu as lavei até não poder mais, sem conseguir tirá-lo. No final, as coloquei dentro de um saco preto de plástico e joguei fora com o resto do lixo. Mas o estranho é que o cheiro não sumiu; durante semanas, foi como se estivesse na minha pele ou no meu cabelo.

Sigo papai, mas só consigo pensar na última vez que estive aqui, caminhando por estes mesmos corredores, e a náusea me sobe à garganta e começo a me sentir fraca.

– Não posso ir lá em cima com você – digo, chamando papai.

Ele se vira.

– O quê?

– Não posso ir com você. Vou esperar lá fora.

A expressão dele passa da surpresa ao desapontamento.

– Por que você está fazendo isso, Pearl? – ele diz, e percebo que se esforça para não levantar a voz. – Por que tem de dificultar tudo?

Eu o encaro. Ele não compreende. Não está pensando na mamãe. Só no Rato. Eu me viro e me afasto correndo. Volto pelos mesmos corredores, passo por enfermeiras, idosos que se arrastam, familiares ansiosos, carrinhos com gente e carrinhos com remédios, atravesso o saguão com sua cafeteria e suas horríveis plantas de plástico, e saio para o estacionamento.

Eu me apoio numa parede do lado de fora, tentando recuperar o fôlego, rodeada por todas as pessoas que saíram para fumar: médicos, visitantes, pacientes em cadeiras de roda, todos reunidos na pequena área pavimentada próxima à entrada.

Fecho os olhos um instante, procurando clarear as ideias.

– Olá – diz uma voz. – Você é a Pearl, não é?

Quando abro os olhos, vejo uma senhora muito velha e frágil parada diante de mim. Levo um momento para reconhecê-la: a simpática senhora da casa ao lado.

– Dulcie – ela se apresenta, estendendo a mão minúscula e delicada. No rosto enrugado, seus olhos são inesperadamente azuis e alertas. – Sua vizinha. Não fomos apresentadas, fomos? Acho que conversei com seu pai algumas vezes. Espero que esteja tudo bem. Você não está doente, está?

– Não. Papai só veio aqui para... – eu me interrompo. Não consigo nem falar sobre o Rato. – Para pegar uma coisa.

Ela me fita com uma expressão curiosa, que depois disfarça com um sorriso.

– O bebê? – diz, e eu sinto meu rosto enrubescer. Ela sabe que eu estava evitando mencionar o Rato. – A última vez que vi seu pai, ele contou que os médicos achavam que em breve ela estaria em condições de ir para casa.

Tento sorrir.

– Sim. É isso mesmo.

– Bem, você precisa levá-la para me ver logo. Você vai fazer isso, não é?

– Claro – digo, sem mencioná-la.

– Quem sabe, você não vê o Finn de novo? Meu neto. Ele vem passar o verão comigo depois das provas, antes de ir para a faculdade de música em setembro. Vai me ajudar na casa e no jardim, agora que não consigo cuidar de tudo. É um menino tão bom. Você não o viu uma vez quando ele passou uns dias aqui?

Estou a ponto de negar, achando que talvez ela esteja um pouco senil, quando compreendo de quem ela está falando: aquele jardineiro horroroso de cabelo desgrenhado que me ouviu gritando com as árvores. Então ele é neto da vizinha.

– Oh – digo, ficando vermelha. – Sim, eu o vi uma vez.

A lembrança não é agradável e me retraio.

– Bom, você precisa ir lá em casa quando ele estiver. Tenho certeza de que vai ficar encantado de ver você.

Tenho minhas dúvidas.

– Bem, é melhor eu ir – diz ela. – Estou fazendo o médico esperar de novo.

Faz uma ligeira careta ao falar, como se sentisse dor, mas dissimula bem.

– A senhora está bem? – digo. – Quer que eu a acompanhe?

– Não, querida. Espere a sua irmã aqui. Eu me arranjo. Este lugar é minha segunda casa. Eu poderia andar por aí até de olhos vendados – ela sorri. – Espero rever você em breve.

Eu a vejo entrar, tão miudinha, as costas encurvadas, os movimentos lentos e pesados. Depois que ela se afasta, sento em um dos bancos no ponto de ônibus para aguardar o papai. Não preciso esperar muito até ele surgir através das portas automáticas, agarrado ao banco de bebê que desta vez tem o Rato dentro. É um choque olhar para ela. Mudou muito. Não parece mais um ser alienígena. Ainda é minúscula e magrinha, mas tem jeito de bebê agora, com cabelos escuros e olhos grandes ao mirar o mundo aqui fora pela primeira vez. Mas não tem nada de engraçadinho: nem faces rosadas nem covinhas. Andamos até o carro em silêncio.

Logo que entramos no carro, ela começa a berrar. É um barulho estranho, uma espécie de grito rouco que não para. No espaço apertado do carro, soa incrivelmente alto.

– Espero que ela pare quando o carro se mexer – diz papai. – Provavelmente vai dormir.

Mas não dorme. Ela não para de gritar nem por um segundo durante o trajeto até em casa.

– Talvez você deva levá-la de novo ao hospital – digo. – Pode ser que ela esteja com algum problema.

– Os bebês choram mesmo, Pearl – papai replica, irritado. – Ela está bem. É que tudo é novidade para ela, só isso. Deve estar assustada.

É novidade para mim também, tenho vontade de dizer. Também estou assustada.

Uma vez em casa, papai tira o Rato do banco e ela, afinal, se acalma. Mas, cada vez que ele tenta soltá-la, a gritaria recomeça no mesmo volume de antes. No fim, ela adormece nos braços de papai. Eu os deixo sentados juntos no sofá da sala, os dois exaustos.

Mas ainda ouço o choro dela ecoando em meus ouvidos.

Estou correndo, correndo pelos corredores, todos verdes e idênticos, mas, quanto mais eu avanço, mais eles se encompridam e então tento ir mais rápido, só que não consigo mexer as pernas e não vou conseguir chegar lá, não vou conseguir chegar lá...

Eu me sento na cama com o coração disparado, a cabeça ainda meio imersa no sonho. Tento respirar lentamente. Os corredores se desvanecem, deixando em seu lugar uma escuridão vazia. Por um segundo, o alívio transborda; mas esse segundo é engolfado pela escuridão também. Sinto lágrimas no meu rosto e me lembro do motivo. Enxugo-as na manga da roupa e fico com raiva de mim mesma por esquecer, mesmo que por um ínfimo momento, como geralmente acontece toda manhã. Só que – fito a escuridão, demorando a perceber... Só que não é manhã ainda. O relógio marca 3h17.

Tem alguma coisa estranha. Levo ainda um momento para me dar conta do que é.

O silêncio. Em cada uma das dez noites desde a sua chegada, a barulheira do Rato encheu a casa. Mas esta noite não há nada além dos estalidos da tubulação e de um cão latindo ao longe. Meu cérebro ainda não emergiu totalmente do sonho aterrorizante. Talvez algo tenha acontecido enquanto eu dormia. Levanto e arrasto os pés no piso frio de madeira, cruzando o patamar até o quarto do papai. Entreabro a porta. A lâmpada de cabeceira está acesa e ele está deitado sobre os travesseiros na cama, dormindo a sono solto, com o Rato também adormecido em seu peito. A mão dele descansa protetoramente nas costinhas dela. Os dois parecem brilhar sob o círculo de luz da lâmpada.

Olho para eles mais um momento; de certo modo, sinto que estou me intrometendo em algo particular. Forço-me a desviar o olhar e volto ao meu quarto, mas não consigo parar de pensar neles juntos e na sua respiração suave do outro lado da parede.

Acabo desistindo de tentar dormir e desço para preparar uma xícara de chá. Subo com ela e vou me sentar no estúdio da mamãe. Não acho que ela vai estar lá, mas não quero me sentir tão sozinha.

Ponho meu chá na escrivaninha e torno a abrir com cuidado a caixa designada ESTÚDIO DA STELLA (OBJETOS PESSOAIS).

Ali tem velhas cartas da vovó Pam, a mãe da mamãe, e cartões mais recentes de Aimee, a melhor amiga da mamãe, que mora na Austrália, além de outras pessoas que não conheço. Há uma foto da mamãe e do papai jovens e sorridentes, e uma foto minha nos ombros do papai no zoológico de Londres. Há uma velha lata de biscoitos com coisas de quando eu era bebê: a pulseira do hospital, sapatinhos felpudos, um pequenino gorro de tricô. Encosto-o na face. É macio e exala um tênue aroma de sabão em pó.

Recoloco tudo cuidadosamente na lata e faço menção de devolvê-la à caixa. Nisso, reparo numa tira de fotos de passaporte, ligeiramente amassada, no fundo da caixa. Eu a puxo para fora. São fotos de dois adolescentes, uma garota e um garoto, imagino que não muito mais velhos do que eu. A garota é a mamãe, mas não reconheço o garoto. No verso está escrito *Com James*. Encaro-as pensativa. *James*. Digo o nome em voz alta.

É o nome do meu pai. O meu pai de verdade. Essas fotos são dele.

Eu nunca tinha visto nenhuma fotografia dele. Sempre foi um nome apenas: James Sullivan. Mamãe me disse o nome dele quando eu era pequenininha. Ela me contou que ele sabia de mim, mas que os dois haviam combinado desde o início que ele não se envolveria. Mamãe disse que, se eu quisesse saber mais alguma coisa, podia perguntar, ou, se quisesse entrar em contato com ele, nós podíamos conversar sobre o assunto. Mas, mesmo naquela época, pressenti que, na verdade, ela esperava que eu não quisesse. E, de qualquer maneira, nunca tive interesse. Uma vez Molly me perguntou: "Você não tem curiosidade? Ele pode ser um bilionário ou algo assim." Mas eu tinha pai, um pai que cuidava de mim, que me consolava se eu ficasse chateada e estava sempre disponível quando eu precisava. Por que eu me importaria com um estranho que nunca me viu?

Mas agora estou intrigada. Estudo as fotos com atenção, tentando imaginar o tipo de pessoa que ele é. Decido que parece uma pessoa divertida. Meio brincalhão. Interessante também, com seu corte de cabelo punk gótico. Em duas fotos ele está sorrindo, e dá para notar que é um sorriso de verdade: vai até os olhos. Na próxima foto, ele e mamãe estão sérios, cada um olhando para um lado, como se mirassem um ponto distante e estivessem mergulhados em pensamentos profundos. Na última foto, não dá para ver direito a cara deles porque estão rindo muito. James se dobra para a frente, o cabelo caído sobre o rosto, e mamãe está com a cabeça jogada para trás.

Será que ele nem sequer tem alguma semelhança comigo? Apuro a vista e me concentro em seus olhos, depois no nariz e na boca, mas parece somente um desconhecido.

Começo a sentir frio e sono, então guardo tudo de volta na caixa. Tudo menos as fotos de passaporte, que levo comigo para meu quarto e deixo na gaveta do criado-mudo. E, quando apago a luz e fecho os olhos, não vejo papai e o Rato aconchegados juntos no quarto vizinho.

Eu vejo James.

JULHO

– Você está me escutando?
– O quê?

Eu não tinha percebido que papai estava ali; assisto a uma matéria no noticiário sobre um homem que foi atingido por um raio quando levava o cachorro para passear no parque. Nunca prestei muita atenção a esse tipo de coisa. Mas agora... Imagino o homem da foto fora de foco na TV pegando a coleira do cão no gancho do vestíbulo, resmungando que as crianças haviam prometido levá-lo para passear e agora lá estava ele fazendo isso toda noite, com bom ou mau tempo. Ele nem queria o maldito cachorro. Homenageando o sr. Davis hoje, sua esposa disse: *"Ele foi um marido carinhoso e um ótimo pai."* O mundo podia virar a qualquer momento...

– Pearl! Dá para desligar a TV? Isso é importante.

Faço o que ele pede e me viro para vê-lo. O Rato está em seus braços, os olhos escuros fixos em papai enquanto ele fala.

– Olhe, Pearl – diz ele, sentando no sofá. – A questão é que... bom, a questão é dinheiro.

– O que tem o dinheiro? – minha mente ainda está sintonizada no homem atingido pelo raio.

– Bom, basicamente não temos nenhum. Não sei quando receberemos o dinheiro do seguro da mamãe. Se é que vamos recebê-lo – ele massageia a cabeça como se estivesse doendo. Eu o escutei ao telefone enquanto falava de formulários, obrigações e cobertura. Fiquei zangada ao pensar num funcionário entediado do suporte ao cliente falando de mamãe.

– Que importância isso tem? – pergunto. – Nenhum dinheiro no mundo vai trazer a mamãe de volta.

– Eu sei, Pearl – papai diz, tentando manter um tom calmo. – Mas, se você não notou, precisamos de dinheiro para viver. Bom. A empresa foi ótima em me dar uma licença não remunerada desde que trouxemos a Rose para casa. Mas preciso começar a ganhar um salário de novo. Preciso voltar ao trabalho. Agora. Ou corremos o risco de perder a casa.

– Certo.

– E não podemos arcar com os custos de uma creche.

– Então quem vai cuidar dela? – indico o Rato com um meneio da cabeça.

– Bem, aí é que está – ele faz uma pausa e se mexe desconfortavelmente, e de repente me dou conta do que ele vai dizer. Ah, não, ele não diria isso, diria? Papai respira fundo. – Até eu encontrar uma solução mais definitiva, vou precisar da sua ajuda, Pearl. Vou precisar que você fique de olho na sua irmã.

– *Eu?*

– Eu não lhe pediria isso se não estivesse desesperado, Pearl.

– Mas não posso.

– Sei que dá um pouco de medo, mas você se sairá bem. Você já cuidou de crianças antes, não é? E agora vai ser mais fácil porque você conhece a Rose e ela conhece você, e as duas estão em casa.

Ele mesmo não parece muito convencido disso.

É verdade que banquei a babá algumas vezes, mas só como um favor para Molly quando ela precisava tomar conta dos irmãos, e com a condição de que me prometesse que já estariam na cama quando eu chegasse. Aí eu simplesmente me sentava vendo tevê bem baixinho, na esperança de que não acordassem. Não tinha a mínima ideia do que fazer se acordassem.

– Você pode me telefonar a qualquer momento. Falei sobre isso no trabalho e foram muito compreensivos.

Meu Deus, ele cuidou de todos os detalhes. Há quanto tempo vinha fazendo planos?

– Então isso vai resolver tudo? E se eu tiver outros compromissos?

– Por exemplo?

Ponto para ele. Não tenho exatamente uma vida social intensa.

– Não será por muito tempo – diz papai. – Você poderia perguntar a Molly se ela pode vir aqui para ajudar. Ela lhe faria companhia e tem jeito com crianças, não é?

– Você está insinuando que eu não tenho jeito?

– Não, claro que não – diz com ar incerto. – Eu só quis dizer que... bem, ela tem irmãozinhos, não é? Está acostumada a cuidar deles.

– Bom, ela está na Espanha com o namorado mauricinho e a família dele – rebato, irritada. *Ficando com um bronzeado incrível e comendo um monte de tapas!!!*, de acordo com o cartão-postal que chegou ontem. *Mas com muita saudade de você.* – Então não estará disponível.

– Oh – ele diz. – Bom, deixe estar então. Dulcie, a vizinha aqui ao lado, disse que vai ficar a postos, e você pode falar com ela se tiver algum problema.

Eu dou risada.

– Dulcie da casa ao lado? Você está de brincadeira? Ela é muito velha. Deve ter pelo menos cem anos de idade. Imagino que seja surda como uma porta. Provavelmente senil também.

– Que despropósito, Pearl. Realmente, você não está sendo nada razoável.

– *Eu* não estou sendo nada razoável?

– Isso mesmo! – ele grita. O rosto do Rato se contrai e ela começa a chorar. – Não está sendo. Está é sendo pouco sensata e egoísta, e simplesmente não entendo por quê. Estou quase louco de preocupação, tentando aguentar as pontas, e achei que poderia contar com a sua ajuda – ficou tão zangado que está tremendo. – Não reconheço você, Pearl. Estou decepcionado. E a mamãe também estaria.

Fico tão chocada que não consigo falar. Papai nunca gritou comigo. Sinceramente, não consigo me lembrar de uma única vez, exceto quando eu tinha uns cinco anos e saí correndo atrás de uma bola de futebol no meio da rua e um carro quase me atropelou. Ainda escuto o barulho dos freios. É, ele gritou aquela vez.

Papai levanta abruptamente e me dá as costas, ficando de frente ao hediondo papel de parede laranja com estampa de ziguezague marrom dos anos 1970, que decora as paredes da sala, o que me faz pensar que isso não vai animá-lo muito. Ele embala o Rato nos braços para acalmá-la, mas parece que ela sabe que ele está aborrecido e seus rugidos ficam ainda mais altos.

Olho para as costas dele, tentando decidir o que fazer.

– Tudo bem – consigo finalmente dizer. – Não precisa arrancar os cabelos.

Quando ele se vira, seu rosto está marcado de lágrimas. Sinto um bolo no estômago.

– Desculpe – diz afinal, por cima dos gritos do Rato. – Eu não devia ter dito isso. Não devia ter gritado com você.

Mas a verdade é que eu sei que ele está certo. Mamãe jamais me perdoaria se pudesse ouvir esta conversa. E, de repente, a dúvida cruel volta à minha cabeça: e se ela puder? E se estiver escutando sem que eu saiba? Tenho sentido com frequência que ela anda me rondando; que pode saber mais do que admite. Não a vi mais desde que o Rato veio para casa. E se ela souber como me sinto? E se ficar brava e nunca mais voltar?

– Olhe – papai diz, lutando para se controlar, balançando o Rato para cá e para lá até que ela enfim para de chorar e enfia o polegarzinho na boca. – Eu sei que é pedir muito, mas agora você não está mais em época de prova, facilitaria muito as coisas se pudesse ficar de olho nela durante o dia. Só por uma semana mais ou menos, até... – ele se cala.

– Até o quê?

De repente, me convenço de que há algo mais nessa história que papai não quer me contar.

– Bom – ele diz, pouco à vontade. – Até eu encontrar uma solução.

– Como o quê?

– Não vamos nos preocupar com isso agora. O que preciso saber é: você está preparada para fazer isso?

Imagino mamãe escutando com um copo encostado na parede. Isso não me surpreenderia.

– Parece que eu não tenho escolha, tenho? – digo com rudeza.

O alívio se estampa de tal forma em seu rosto que acho que ele vai chorar de novo.

– Obrigado, amor – diz, enquanto os olhos do Rato pesam e depois se fecham.

– Não vou trocar nenhuma fralda – digo, depressa. – Nem pensar.

* * *

– Então – papai diz pela milésima vez – aqui estão todos os números de telefone. Se precisar me ligar no trabalho e eu estiver numa reunião, diga que é você e é urgente.

Ele está andando de um lado a outro na cozinha, acenando para mim com listas e organogramas de uma maneira meio desengonçada, enquanto permaneço sentada à mesa e finjo ler uma revista.

– Tem o contato do setor de clínica geral. Ligue para lá se achar que ela está com febre ou algum problema. E, naturalmente, se for uma emergência...

– Ligo para o pronto-socorro – digo, sem levantar os olhos da revista. – Sim, eu sei, papai. Não sou burra.

– E Dulcie disse que você pode ir lá a qualquer hora.

– Ótimo.

Papai está ocupado demais imaginando cenas de morte e catástrofe para reparar no meu sarcasmo.

– Então, como expliquei, a rotina da Rose está anotada neste papel aqui – pega uma folha entre os papéis e a deixa na mesa perto de mim. – Assim você tem uma ideia de quando ela pode querer comer ou dormir. Mas já repassamos isso, não?

– Sim, faz dois minutos. E também nos dois minutos anteriores.

– E cada uma das mamadeiras tem um rótulo com a hora em que deve ser dada, com a medida certa da fórmula láctea. E...

Jesus Cristo.

– Papai, pode ir, tá bom?

– Tudo bem, tudo bem – ele pega a jaqueta. – Mas lembre-se de checar antes se o leite não está quente demais para ela não queimar a boca. E não a deixe pegar nenhum objeto pequeno, senão pode pôr na boca e engasgar. Por medida de segurança, incluí as instruções nesta outra folha aqui.

A folha traz o título *Perigos variados*.

Reviro os olhos.

– Papai, assim você me deixa maluca.

Todo esse alvoroço está me dando ansiedade, não que eu tenha intenção de deixá-lo perceber meu nervosismo.

– Certo. Desculpe – mas ele continua rodeando, relutando em sair. – Você lembra que eu disse para se certificar de que a Rose fique deitada de costas durante a soneca. E verifique que a temperatura dela não esteja alta. Isso é muito importante.

– *Papai*. Falando sério, tem um monte de meninas de dezesseis anos que cuidam dos próprios filhos – digo isso para tranquilizar a ele e a mim. – Por que você tem tanta certeza de que não vou dar conta disso? Afinal, não deve ser tão complicado, não é?

Baixo os olhos para a cadeirinha onde o Rato está babando. Papai também olha para ela e dá para perceber que continua imaginando todo tipo de desastres possíveis e provavelmente alguns impossíveis também.

– Ela ainda nem *faz* nada – emendo.

Tudo o que eu digo parece deixá-lo ainda mais preocupado.

– Talvez essa não seja uma boa ideia – murmura consigo mesmo, girando distraidamente a aliança no dedo.

– É uma péssima ideia – digo, enquanto folheio a revista sem de fato enxergar as páginas. – Eu ainda poderia estar dormindo em vez de ouvir você tagarelar sobre horários de soneca e mamadeiras. Mas é melhor do que não ter um teto.

Ele dá um suspiro.

– Você sabe que eu não pediria isso se não fosse necessário.

– É o que você fica repetindo.

– E pode ser até que você acabe gostando. Pode ser uma oportunidade de... você sabe, se aproximar dela.

É, e pode ser que o inferno congele. Quem sabe?

– De qualquer jeito, não será por muito tempo. Só esta semana e talvez a próxima. Pode até ser que eu consiga trabalhar em casa uns dois dias.

– E você achou mesmo uma solução para depois desse período? Uma creche ou algo assim?

– Depois conversamos sobre isso – ele diz. – Preciso me apressar ou vou perder o trem – beija o topo da minha cabeça e finjo que não reparo. – Tem certeza de que vai ficar bem?

– Tenho de ficar, não tenho?

Ele se abaixa para se despedir do Rato. Vejo que reluta em deixá-la.

– O seu trem – digo.

Ele sai apressado, ainda falando por sobre o ombro.

– Qualquer problema, me avise imediatamente. E lembre o que eu disse, não deixe a Rose perto de nada que ela consiga puxar, porque pode cair em cima dela...

E então a porta se fecha com um baque.

Encaro o Rato, que me encara de volta. Uma sensação de frio e peso se aloja no meu estômago. A sala parece, de algum modo, encolher ao redor dela. O Rato parece maior do que quando papai estava aqui.

Será que os bebês conseguem farejar o medo, como dizem que os cachorros fazem? Ela continua a me fitar com olhos grandes e solenes.

– Não precisa me olhar desse jeito – digo. – Também não gosto de ficar presa aqui com você.

Dá uma sensação esquisita e claustrofóbica saber que estamos só nós duas em casa. Por um momento, me pergunto se mamãe virá me ajudar; o mais estranho, porém, é que me dou conta de que não quero que ela apareça. Ela perceberia se me visse com o Rato, sei que perceberia. Mamãe notaria como me sinto em relação a ela, por mais que eu tentasse disfarçar. Já tenho muito com o que me preocupar sem mamãe para dificultar as coisas.

Ligo o rádio, o que ajuda. Assim eu me sinto menos sozinha, e parece que o Rato gosta da música. Depois de um tempo, me ocorre que, com o som de vozes falando, o Rato talvez adore ficar sozinha ali. Mudo de estação e deixo o bebê escutando uma discussão sobre sexo e relacionamento depois da menopausa, enquanto subo para tomar um banho de chuveiro.

Quando desço de novo, checo a folha preparada por papai com o organograma minuto a minuto. Ela me avisa que é hora de alimentar o Rato. Constato que posso lhe dar mamadeira sem necessidade de tirá-la da cadeirinha. Não preciso nem olhar para ela enquanto faço isso.

O telefone toca no vestíbulo. Olho o número no visor e constato que é papai ligando do trabalho; atendo, pois do contrário ele é capaz de chamar a polícia ou algo assim – provavelmente os bombeiros e o esquadrão antibomba também.

– Faz só uma hora que você saiu – digo, embora admita que pareça uma hora bem longa. – Já chegou ao escritório?

O Rato escuta o rádio por um bom tempo enquanto tento fingir que ela não está ali. Fica irrequieta a uma certa altura, mas ponho música e viro sua cadeirinha para o outro lado a fim de que possa olhar pela janela, e assim ela se aquieta.

Papai liga de novo de seu celular após um par de horas. O Rato agora está em sua esteira de brincar.

– Sim, papai – suspiro. – Está tudo bem. Exceto pelo terremoto. E pelo estouro da manada de elefantes.

– *O quê?*

– Brincadeira. Está tudo bem.

– Francamente, Pearl. Isso não é hora para brincadeira – ele na verdade parece aliviado, como se tivesse mesmo imaginado uma manada de elefantes estourando no sul de Londres numa manhã de segunda-feira. – Você deu a mamadeira?

– A-hã.

– Ela já fez a sesta?

– Desculpe, papai, a ligação está falhando – minto. – Preciso desligar.

O Rato me encara de olhos bem abertos. Ela não está com o menor jeito de que vai dormir, mas parece contente. Bom, não exatamente contente. Como de costume, seu rosto se mostra solene e alerta, como se ela fosse uma pessoa muito velha presa num corpo de bebê. Mas não está chorando e quero que continue assim. Não vou me arriscar a colocá-la no berço. Papai deixou uma folha inteira de instruções para explicar como fazê-la dormir, com os subtítulos *Ninar, Caixa de música, Lâmpada noturna* e *Mão nas costas para confortar.* Para que tudo isso? Eu simplesmente a deixo onde está.

Depois de um tempo, ela começa a se agitar. Vejo que vai ficando frenética, então tento colocá-la de volta na cadeirinha na sala e ligar a TV num canal infantil. Funciona às mil maravilhas. O Rato está completamente hipnotizada. Sorrio enquanto penso em papai com todos os seus livros especializados, rotinas e instruções. Por que é que as pessoas fazem tanto estardalhaço quando o assunto é cuidar de bebês? É fácil.

Estou na cozinha preparando café quando escuto seu choro. A princípio é uma fungadela, depois uma espécie de balido. Quando chego à sala, ela está berrando.

De início, penso em deixá-la assim. Provavelmente vai parar ou pegar no sono. Volto à cozinha. Mas continuo a ouvir o choro, mesmo depois de ligar o rádio bem alto. Lá vou eu de novo para a sala. Ela está toda vermelha e brava agora, e seus gritos me perfuram o cérebro. Como fazê-la parar? Tento dar outra mamadeira a ela, embora as instruções de papai especifiquem que o Rato não deve comer nas próximas duas horas. Ela entorna metade, mas aí não quer mais e, assim que para de mamar, recomeça os gritos. Entro em pânico. E se ela continuar desse jeito pelo resto do dia? Vou ficar maluca.

Passados dez minutos, eu *estou* maluca. É uma tortura. Sei que deveria pegá-la nos braços, niná-la e tentar acalmá-la. Nem quero tocar nela, mas não demora muito para que eu fique desesperada a ponto de tentar qualquer coisa. Eu a levanto desajeitadamente e a apoio no ombro, procurando lembrar como o papai faz, sussurrando *shhh* e a embalando. Seu corpinho, entretanto, está rígido de irritação e o choro só fica mais alto. Eu me pergunto de repente se ela sabe como me sinto. Talvez a aversão seja recíproca.

Aí está. É por isso que faz isso. Ela me detesta.

Estou entregue a esse pensamento quando o Rato vomita: todo o leite que acabou de beber, morno e azedo, escorre pelas minhas costas e pelo meu cabelo, gotejando dentro da minha blusa. E eu sei que ela está fazendo isso só para me provocar. Eu a afasto, suas pernas magrelas balançando.

– Pare com isso! – grito. – Pare agora!

Mas nesse meio-tempo estou pensando em mamãe e no que ela acharia se me visse, e começo a chorar. Fico parada ali no meio da sala, segurando o Rato diante de mim, com lágrimas e coriza deslizando pelo meu rosto.

Preciso me afastar dela. Se não fizer isso... não sei o que pode acontecer. Preciso sair. Eu a deixo na esteira de brincar, ainda vermelha e aos berros, a roupinha molhada de vômito. E saio correndo da sala e de casa, batendo com força a porta às minhas costas. E continuo correndo através do caminho ajardinado e da rua, distanciando-me ao máximo. Preciso ficar longe dali.

Um ônibus chega quando estou passando pelo ponto e embarco sem pensar. Não trouxe bolsa nem passe, mas tenho dinheiro no bolso do jeans, algumas moedas e notas soltas. Pago a passagem e sento nos fundos, o mais longe possível dos outros passageiros, em parte porque minha roupa e meu cabelo cheiram a vômito de bebê, em parte porque não quero que ninguém repare em mim. Se me olharem com atenção, talvez adivinhem o que eu fiz. Os berros do Rato ainda ecoam em meus ouvidos e não posso evitar a sensação de que, se um passageiro chegar muito perto, talvez os escute também. Fecho os olhos quando o ônibus se põe em movimento e tento não pensar em nada.

Ao reabrir os olhos, percebo que percorri um trajeto mais longo do que imaginava. O ônibus já está passando pelas lojas a uns dois pontos de casa. Tudo parece distante, como se eu estivesse espiando pelo lado errado de um telescópio. Uma garota não muito mais velha do que eu embarca com um carrinho de bebê. A criança está chorando. Fico tensa. Enquanto o ônibus prossegue o percurso, a garota se inclina para apanhar o bebê e começa a niná-lo. É bem pequeno, talvez tenha só uns dias de vida. O cabelo da garota está preso e repuxado atrás da cabeça, seu rosto é duro e anguloso, mas muda e se suaviza quando ela olha o bebê.

De repente, não consigo respirar.

O que foi que eu fiz?

Imagino o Rato sozinha em casa, deitada no chão, as perninhas chutando, os gritos ignorados. Toco a campainha do ônibus e, enquanto avanço desajeitadamente para a frente do veículo, me vem à lembrança o dia em que fui me encontrar com Molly e pensei ter visto a mamãe pela janela do ônibus. Daquela vez me enganei. Mas e se agora mamãe estiver aqui? E se eu descer e mamãe estiver à minha espera e souber o que eu fiz?

– Ei, cuidado – diz a garota com o bebê.

Lá fora, o ar está quente, pesado e cheio de fumaça de escapamento, mas eu estou enregelada de medo.

Não há sinal da mamãe, mas mesmo assim o pânico quase me cega. Preciso voltar.

Corro pela rua, na direção do ponto do ônibus que faz o trajeto inverso. Mas é claro que agora não há nenhum ônibus à vista.

– Que bom que o sol finalmente saiu – diz um homem de chapéu *pork-pie* que, apoiado numa bengala, espera o ônibus também. – Pensei que aquela chuva nunca mais ia parar. Achei que teria de construir uma arca para mim – e ele ri da própria piada.

Mas só consigo pensar no Rato. Há quanto tempo está sozinha? Verifico o relógio. Não sei ao certo quando saí, mas já deve fazer quase uma hora. E se Dulcie da casa ao lado encontrá-la sozinha e chamar a polícia? Será que vão me prender? Aperto os olhos, espiando a rua contra o sol em busca do pontinho que representa um ônibus no horizonte. Nada. E se papai resolver voltar mais cedo do trabalho? Eu me viro e começo a correr.

Depois de um tempo, a dor na minha cintura é tão grande que sou forçada a diminuir o ritmo e caminhar. Mas minha mente ainda corre e se adianta imaginando o que encontrarei quando chegar em casa. E se o Rato vomitou de novo e engasgou? Vai ver que estava gritando porque se sentiu mal. Penso nas instruções de papai para tirar a temperatura e reconhecer os sintomas de meningite... E se não estiver respirando quando eu chegar? Ou tiver ocorrido um incêndio? E se eu voltar e ela tiver desaparecido? Todo o mundo acha que essas coisas só acontecem com os outros. Mas eu sei que não é bem assim. Forço minhas pernas cansadas a correr de novo.

Fico enjoada com o calor e o cheiro de vômito no cabelo, e o ar está tão pesado com a fumaça dos carros que parece grudar nos meus pulmões. Mas fico enjoada sobretudo ao pensar no Rato sozinha. Obrigo-me a prosseguir pela avenida principal até que, finalmente, chego perto de casa.

Não há luzes azuis piscando do lado de fora, o que é um bom sinal. Mas o que encontrarei quando entrar lá?

Estou quase chorando de medo e exaustão ao passar pela brecha na espessa cerca-viva que dá para nosso jardim. Aí me imobilizo e sinto o pânico travar minha garganta.

Alguém está do lado de fora espiando a sala pela janela. E, mesmo vendo-o de costas, eu o reconheço imediatamente. É Finn, o neto de Dulcie. Jesus. Ele já me acha uma maluca. O que eu faço?

Ele bate na porta da frente. Abaixo-me atrás da cerca-viva para que não me veja e o olho através das folhas. Ele fica ali alguns segundos, aí toca a campainha várias vezes. Obviamente vem fazendo isso há algum tempo. Olha em torno e volta à janela para espiar o interior da casa. Ele verá o Rato. Sei que verá. Minha cabeça gira enquanto tento pensar no que fazer. Só que não dá tempo, porque agora ele se vira com a fisionomia preocupada e avança para a rua. Quando tiver saído do jardim, me verá na calçada. Não tenho onde me esconder; só resta blefar para me safar disso. O que será que mamãe faria?

Cruzo o portão despreocupadamente e quase esbarro em Finn, que me encara chocado.

– O que você está fazendo aqui? – ele diz.

– É minha casa, óbvio. O que *você* está fazendo aqui?

– Mas o bebê está lá dentro.

— Ela está bem? — as palavras saem da minha boca antes que eu possa contê-las.

— Está deitada dormindo — ele franze a testa. Fico tão aliviada que tenho vontade de abraçá-lo. — Eu a vi pela janela.

— Você sempre xereta a casa dos outros pela janela?

— Minha avó me mandou vir aqui. Dulcie, sua vizinha. Estou hospedado na casa dela. Meu nome é Finn. Nós já nos vimos antes.

Olho fixamente para a calçada.

— Eu sei quem você é — murmuro.

— A minha avó disse que com toda certeza você estaria lá dentro cuidando do bebê.

— Precisei dar uma saída — digo.

— Quando não atendeu à porta, pensei que tivesse acontecido alguma coisa com você.

— O quê, por exemplo? Você achou que eu fui abduzida por alienígenas?

— Não sei. Você podia ter sofrido um acidente, por exemplo.

— Bom, não precisa mais se preocupar. Veja — abro bem os braços. — Estou bem. Nenhuma veia cortada nem homenzinhos verdes. Tudo em ordem.

Finn me observa com atenção.

— Mas você a deixou sozinha.

— Ah — digo num tom casual. — Foi só por uns minutinhos. Tive de dar uma corrida até a loja da esquina. Ficamos sem fraldas, e ela estava num sono profundo. Não quis perturbá-la e a deixei dormindo, só isso — respiro fundo, na esperança de que ele não perceba que estou tremendo. – O que poderia acontecer com ela?

Mas a testa dele se franze ainda mais. Acho que sabe que estou mentindo e tenta descobrir por quê.

– Bem – digo. – O que você está *fazendo* aqui?

Só que ele já não me escuta.

– Onde estão? – indaga.

– O quê?

– As fraldas.

– Que fraldas? – tarde demais, percebo o que acabei de fazer.

– As que você foi comprar – ele me olha bem no olho. É um desafio.

– A loja não tinha as fraldas certas – digo, e consigo até sorrir. Talvez, no final das contas, eu tenha herdado um pouco do talento de mamãe para a dissimulação.

– Certo.

– Bom, não posso ficar aqui conversando – passo por ele, a caminho da porta da frente, enfiando a mão no bolso e apanhando a chave com um sentimento de gratidão. – Ela deve acordar a qualquer momento. Pode dizer à sua avó que estou bem, muito obrigada.

– Está mesmo?

– Claro que sim – respondo, impaciente.

– A vovó disse que você podia levar o bebê lá em casa se ele estiver dando muito trabalho.

– Não está, não.

– Ela comentou que ficaria muito contente de ver o bebê – Finn cora e não consegue me encarar, e percebo que inventou isso; está tentando achar um jeito de me convidar para ir lá. Mas por quê? Será que acha que estou louca e o Rato corre perigo? Será que não quer que Dulcie fique desapontada? Ou será que *ele* quer que eu vá?

– Tudo bem – digo, desesperada para me livrar dele e ver como o Rato está. – Diga a ela que talvez eu leve o bebê lá.

Ele começa a se afastar. Aí hesita e se vira.

– Olhe – diz. – Toda vez que falo com você, tenho a impressão de que estou dizendo a coisa errada. Desculpe. Sério, só quero ajudar. Não que eu esteja insinuando que você precise de ajuda nem nada – emenda depressa.

Seus olhos encontram os meus através dos cabelos escuros e cacheados, e não posso deixar de notar que são muito azuis. De repente, me dou conta de como ele deve estar me vendo: suada e vermelha de tanto correr, enfiada num jeans velho e numa blusa grande demais fedendo a leite azedo.

– É melhor eu checar como ela está – digo, me virando na direção oposta.

Aí algo me ocorre.

– Você não vai dizer nada à sua avó, vai? – grito para Finn. Se ela souber, é provável que conte ao papai que deixei o Rato sozinho.

Ele olha para mim e encolhe os ombros ligeiramente.

– Dizer o quê?

E então desaparece na esquina.

O Rato dorme a sono solto na esteira, exatamente como descreveu Finn. Eu me aproximo dela na ponta dos pés, me ajoelho e pouso a mão delicadamente em seu peito para me assegurar de que está respirando. Mantenho a mão ali um instante, sentindo o calor subir e descer contra a minha palma. Desse jeito, deitada e adormecida no chão, ela parece tão pequena e vulnerável.

– Voltei – sussurro. Mas o Rato não se mexe. Para ela, tanto faz eu estar aqui ou não.

Uma vez que meu pânico passa, fico exausta. Deito no chão ao lado dela e fecho os olhos, pensando que nunca me senti tão sozinha. Só disse ao Finn que a levaria à casa de Dulcie para me livrar dele. Mas, ao me deitar aqui, sei que não vou aguentar. Não posso ficar outra vez sozinha com ela em casa. Assim, eu a levanto com cuidado, a ponho no cestinho e a levo até a casa da vizinha, atenta para não fazer ruído ao fechar a porta e torcendo para o ar fresco e o barulho dos carros não a despertarem.

– Olá – digo, e procuro parecer calma e confiante quando Dulcie atende à porta. Ainda estou um pouco abalada e espero que ela não perceba. Enquanto caminhava, disse a mim mesma que qualquer coisa era melhor do que ficar em casa com o Rato gritando comigo de novo. Mas, agora que cheguei, estou envergonhada e tenho medo de que ela note como sou incompetente para cuidar de bebês.

– Finn disse para eu vir. Mas posso ir embora se não for...

Mas minha voz some no meio da frase e me pego chorando. Eu me viro, horrorizada, cubro o rosto com as mãos e deixo o cabelo pender para a frente, assim ela não vê. Mas o cabelo cheira a vômito, o que só piora as coisas, e continuo a soluçar silenciosamente. Estraguei tudo. Agora Dulcie vai saber que não dou conta de cuidar do Rato e contará ao papai que estou tendo uma crise nervosa ou algo do gênero, e pronto. Ele vai ficar com raiva de mim e não vai mais confiá-la aos meus cuidados, vai ter de se demitir e não teremos onde morar, e vai ser tudo minha culpa e mamãe também não me perdoará...

Sinto a mão de Dulcie pousar no meu ombro.

– *Shhhh* – diz ela, como se eu fosse um bebê. O Rato está deitada no cesto no mais completo silêncio. Óbvio.

– *Shhhh*. Está tudo bem.

– Não está – tento dizer. Não está mesmo. Mas a mão de Dulcie é tranquilizadora e delicada, e sua voz me conforta.

– Às vezes a gente precisa chorar – diz mansamente.

– Até na minha idade. Mas o que eu aprendi nesses anos todos é que a soleira da porta não é o lugar mais indicado para isso. Por que você não entra e vem chorar na minha cozinha? Tenho lenços de papel e chá. Geralmente, ajudam. Talvez haja bolo também se o Finn não tiver comido tudo.

Cheia de gratidão, eu me viro, ergo o cesto do Rato e a acompanho.

Na cozinha, ela me faz um chá, com movimentos vagarosos. Noto que sente dor.

– Quer que eu faça? – pergunto.

– Não. Pode ficar aí sentada.

Olho o Rato num sono profundo no seu cesto. Uma banda de música poderia tocar bem ao seu lado, que ela nem notaria.

– Ela não parava de chorar – digo a Dulcie.

— Ah, tive meus próprios bebês. Nem precisa falar nada. É de enlouquecer. Chorei algumas vezes por causa disso.

— Verdade?

— Ah, sim — ela diz. — Claro. E eram meus bebês, que eu amava mais do que tudo. Na sua situação... — olha para o Rato adormecida. — Bom, deve ser muito difícil para você.

Eu a encaro um momento e ela me olha com aqueles olhos muito azuis, e sei que compreende que eu não *amo* o Rato mais do que tudo. E é como se um peso saísse do meu peito.

— Não tem de se preocupar — diz ela. — Não é sua culpa.

Quero agradecer, dizer quanto sou grata, mas não consigo falar e me limito a balançar a cabeça.

Ela avança devagar e me oferece o chá e uma grande fatia de bolo, que eu mordisco enquanto me pergunto onde andará Finn. Talvez esteja fora. Não consigo decidir se prefiro que tenha saído ou não.

Enquanto bebo o chá, me acalmo e olho em torno. A casa de Dulcie não é como eu imaginava. É um espelho da nossa casa, com tudo posicionado do lado contrário. E onde nossa casa parece vazia, nas paredes sem quadros e na cornija nua da lareira, a de Dulcie parece transbordar. Há fotos de lugares cobrindo uma grande parte, Manhattan e o Taj Mahal, selvas e desertos, pôsteres de velhos filmes e peças de teatro, quadros e enfeites de parede, livros. Eu tinha imaginado a casa de uma velhinha, com muitos badulaques e estatuetas de gatinhos e pastoras, mas sua casa é preenchida com a vida que ela viveu.

Na cornija da lareira, há uma foto em preto e branco de uma mulher linda e glamorosa e de um homem com jeito de galã de filme dos anos 1950.

– É você? – digo, incrédula.

Ela ri da minha surpresa. É um riso inesperado, franco e travesso. Parece subitamente mais jovem.

– Não nasci com oitenta e sete anos, sabe?

Olho para a versão mais jovem dela na foto, a curva do pescoço e as maçãs do rosto, o sorriso pintado de batom, os olhos claros e bem abertos fixos no homem a seu lado.

– Você era muito bonita – digo.

– Bom – diz ela. – Nem tanto. Mas ele achava...

– Seu marido?

– Sim – sorri, entretanto seu olhar fica distante. Endireita-se, levantando devagar da cadeira, e vai até a lareira. Pega a foto e a traz para mim.

– Ele era bem atraente – digo sorrindo a ela.

– Sempre achei que o Finn é igualzinho a ele – diz, divertida, e pela milésima vez na vida eu gostaria de não corar com tanta facilidade.

Devolvo-lhe a foto rapidamente, e Dulcie fica sentada fitando-a por um momento com meio sorriso, e me pergunto se ela ao menos lembra que estou ali.

– Não foi muito tempo depois de a foto ser tirada que ele morreu – diz. – Um ano. Talvez dois.

– Oh – digo, chocada. Ele parece tão cheio de vida naquela foto. – Sinto muito.

– Câncer. Fumava feito chaminé, claro. Todos nós fumávamos naquela época. Não sabíamos que fazia mal à saúde.

Eu me pergunto se é por causa disso que ela chora às vezes.

– Depois fica mais fácil? – as palavras saem da minha boca antes mesmo que eu pense nelas.

Ela me encara. Reflete.

– De início, quando alguém que a gente ama morre, a pessoa é a única coisa que a gente enxerga, que a gente escuta, não é? Todo o resto se apaga.

Concordo com um aceno, mal respirando.

– Isso muda – diz ela. – A pessoa vai ficando mais quieta com o passar dos anos. Às vezes ainda sussurra no ouvido da gente, mas o mundo fica mais barulhento. A gente consegue vê-lo e escutá-lo de novo. Fica uma lacuna nele, que a pessoa costumava ocupar. Mas a gente se acostuma com essa lacuna, se acostuma tanto que nem a enxerga mais – segura minha mão na sua frágil, velha mão. – Tem dias em que, do nada, quando você está fazendo chá ou esperando no ponto de ônibus, a sensação volta: aquele espaço vazio, machucado, que jamais será preenchido.

Há lágrimas em seus olhos.

– Desculpe – diz. – Acho que não era isso que você queria ouvir.

Aperto delicadamente sua mão magra e fria.

– Eu também lamento isso.

Ela me dirige um sorriso triste.

Lá em cima, ouve-se o som de um instrumento musical, acho que um violoncelo.

– Finn – Dulcie diz. – Ele é bom, não é?

Ficamos escutando por um tempo. É tão melancólico e bonito que não acredito que seja Finn tocando. Não quero que pare.

– Ele ingressou em uma das melhores faculdades de música do país – ela diz, com orgulho. – Em Manchester. Parece cansada.

– É melhor eu voltar – digo, embora me dê conta de que fiquei um pouquinho desapontada por Finn não aparecer.

– Queria que você pudesse vir de novo amanhã, mas é um dos dias em que vou ao hospital – diz ela enquanto levo o cesto do bebê até a porta.

– Não conte ao meu pai que eu estava chateada, tá? Foi uma bobagem e só o deixaria preocupado.

– Ele não tem nada com o que se preocupar – Dulcie diz antes de fechar a porta enquanto me afasto.

Quando a porta se fecha com um baque atrás de papai na manhã seguinte, eu sei uma coisa: preciso sair de casa. Mas dessa vez o Rato virá comigo.

Junto todos os itens da lista *Saindo de casa* que papai preparou. Leva uma eternidade. Parece até que vamos fazer uma expedição de um mês. Quando consigo reunir tudo, fraldas, panos, mamadeira, leite, muda de roupa, chapéu, esteira para trocar o bebê e fraldinhas de pano, o Rato já ficou quase rouca de tanto chorar. Eu a coloco no carrinho o mais rápido possível e, com certa dificuldade, manobro o carrinho até a porta da frente.

O engraçado é que, assim que saímos, tudo muda. O Rato dá impressão de encolher. Dentro de casa, ela parece tão grande e esperta. Aqui fora, não passa de um bebezinho. No começo, eu me sinto um pouco constrangida por causa do carrinho enorme e espalhafatoso. Chama muita atenção, e manobrá-lo é mais complicado do que parece. Mas, à medida que avanço, torna-se fácil e, depois de um tempo, percebo que as pessoas olham para ele e não para mim. Na verdade, é como se a gente não existisse quando empurra um carrinho de bebê. As pessoas que reparam só querem saber do bebê. Passo por Jodie e Kev, que foram nossos vizinhos na Irwin Street, e por Phoebe Monks da escola, e eles nem me enxergam. Eu me sinto invisível. É legal. Esse tempo todo, procurei um lugar para me esconder, onde as pessoas me deixassem em paz. E agora, com exceção de algumas velhinhas que querem fazer bilu-bilu para o Rato, encontrei esse lugar.

Ela adormece quase imediatamente quando nos pomos em movimento. Descubro que, se mantiver a distância certa, a aba do carrinho cobre o Rato e nem preciso vê-la; o rostinho esquisito e pontudo dela fica fora de vista. Finjo que o carrinho está vazio enquanto o empurro, deixando a brisa afastar meu cabelo do rosto e do pescoço. Mesmo com o trânsito da avenida principal, há um tênue cheiro de verão no ar. Se eu continuar me movendo, sei que ela vai dormir. E o sol morno roça a minha pele, e só de sair de casa, só de caminhar, me sinto bem. Viva! Assim prossigo por todo o percurso até o Heath, aí dobro a esquina e cruzo o portão lateral do parque e vou para o jardim. Está todo florido, com o ar perfumado.

Estaciono o carrinho e sento na grama, receando que o Rato acorde agora que paramos. Mas ela não se mexe. Há algumas pessoas em volta, um grupo com bebês e crianças pequenas sobre toalhas de piquenique, mas ninguém tem o menor interesse em mim. Posso me sentar sossegada. Fecho os olhos.

– Pearl!

Tenho um sobressalto, abro os olhos e vejo um homem que acena para mim. Ao aguçar a vista para enxergá-lo, constato que é o sr. S., meu antigo professor de ciências da escola. Ele se aposentou faz uns dois anos, mas está exatamente igual quando vem na minha direção: alto demais, os cabelos meio compridos e desalinhados.

– Que prazer encontrar você – diz. Dá uma espiada no Rato. – E olhe só essa daí, hein? É uma belezinha, não é?

– Não é minha – me apresso em dizer.

– Não. Sheila me contou sobre a sua mãe – a sra. S. é minha professora de inglês. – Fiquei tão chateado quando soube, Pearl. Fiquei mesmo. Sua mãe era uma mulher encantadora.

Mamãe gostava muito do sr. S. Sempre flertava com ele nas reuniões de pais. Era terrivelmente constrangedor.

– Então é você que está cuidando dela?

– Só por uma ou duas semanas.

– Que bom. Mas dá trabalho, não dá? – ele sorri. – Tenho tomado conta do meu netinho uma vez por semana. Levo o resto da semana para me recuperar.

– Ontem foi um pesadelo – digo depressa. – Ela caiu no choro e eu não sabia o que fazer.

Não sei por que estou contando isso a ele. É simplesmente um alívio poder compartilhar aquele horror com alguém.

– Acidente de trabalho – diz ele. – Mesmo assim, você está se saindo muito bem. Olhe só para ela, feliz que só vendo, e dormindo a sono solto. Você precisa me dar umas dicas.

Sorrio para ele com gratidão.

– Melhora quando saímos de casa.

– Vamos fazer o seguinte, você quer tomar chá comigo?

Sei que ele só me convidou porque está com pena de mim, mas por alguma razão isso não me incomoda. Sempre gostei do sr. S. e sei que ele não vai me forçar a falar de como me sinto nem me fazer perguntas chatas. Ficará muito ocupado contando piadas sem-graça.

– Vamos então.

Ele empurra o carrinho enquanto nos dirigimos ao pavilhão onde o chá é servido.

– Como você foi nas provas?

– Não sei – e não me importo, tenho vontade de acrescentar.

– Você deve ter ido bem – diz. – Você tem cara de repolho, mas é inteligente. Dou risada.

– Isso é um elogio?

– E eu sinceramente espero que você continue estudando inglês no ano que vem – ele diz. – Ou a Sheila não vai me deixar em paz.

– Na verdade, ainda não pensei nisso – nem decidi se vou fazer as provas do Nível A. Voltar à escola não é exatamente o meu sonho dourado. Mas é melhor do que ficar encalhada em casa com o Rato. E sei que todo o mundo vai me censurar se eu não fizer as provas, incluindo mamãe.

Sentamos para tomar chá numa das mesas na área externa de piquenique. O sr. S. me faz rir ao contar histórias bobas sobre os bons tempos quando seus alunos explodiam coisas e queimavam o cabelo nas aulas de ciência.

    Quando o Rato acorda, ele se oferece para lhe dar mamadeira e, enquanto faz isso, conversa com ela, explicando os nomes das posições dos jogadores de críquete.

    – Espero que esteja prestando atenção, mocinha – diz, e ela o olha intrigada. – Da próxima vez, vamos aprender a tabela periódica.

    Na hora da despedida, ele diz:

    – Foi bom ver você, Pearl. Está se saindo muito bem. Boa sorte com o resultado das provas.

Vou tarde para casa, e o papai já chegou. Quando abro a porta, ele está no telefone.

    – Preciso desligar – diz, rápido, assim que me vê. – Conversamos sobre isso na semana que vem.

    Ele desliga e me ajuda a passar pela porta com o carrinho.

    – Como vão as meninas? – pergunta.

    – Com quem você estava falando?

    – Ah – diz ele, evasivo. – É só uma coisa sobre a Rose.

    – O que tem ela?

    – Cuidados infantis. Mais ou menos isso. Depois conto a você. Bom, onde você estava? Trouxe trabalho para casa achando que poderia ficar com vocês duas, mas, quando cheguei, já tinham saído. Comecei a ficar preocupado.

    Ele tira o Rato do carrinho e sorri para ela.

    – Estamos bem – digo. – Você não precisa me monitorar, sabe?

– Então está indo tudo bem? – ele diz. – Tem certeza de que aguenta o resto da semana?
– Claro.

Quando vou para o quarto, mamãe está sentada na cama à minha espera.
– Você me deu o maior susto – digo.
– Como vai a Rose? – pergunta, entusiasmada. – Ela está em casa, não é? Eu só queria saber como vão as coisas.
Mamãe me encara com seu olhar mais penetrante. Sei que preciso fazer tudo direitinho agora. Não posso deixá-la desconfiar do que acontece de fato. Se ela souber a confusão que eu armei, abandonando o Rato, nunca mais verei a mamãe de novo. Preciso convencê-la e nunca consegui mentir a mamãe sem que ela lesse meus pensamentos. *Não se pode enrolar uma enroladora*, mamãe costumava dizer, levantando a sobrancelha.
Mas talvez eu possa. De um estalo, sei o que fazer. Não vou contar do Rato a mamãe. Vou contar-lhe o que teria acontecido se tudo desse certo; se tivéssemos trazido para casa o bebê que eu havia imaginado quando mamãe estava grávida, a criança do anúncio de fralda com covinhas e cabelo loiro.
– Tudo ótimo – digo, visualizando como tudo deveria ter sido. – Ela é tão boazinha. Quase nunca acorda no meio da noite.
– Verdade? – ela parece surpresa. – Pelo que me lembro, você acordava de hora em hora nos primeiros dois anos. – Mamãe tinha feito questão de dizer isso ao papai quando estava grávida do Rato. Como ele não tinha par-

ticipado das minhas mamadeiras e trocas de fralda no meio da noite, ela havia resolvido que dessa vez papai deveria compensar sua omissão. – Pelo jeito, ela é um anjo.

– Ah, é sim – me adianto. – É adorável. Todo o mundo diz isso. Muito sorridente. Tenho cuidado dela esta semana enquanto o papai está no trabalho, e ela adora ficar comigo. Papai sempre diz que o rosto dela se ilumina quando eu apareço – lembro Rato berrando quando eu a segurei diante de mim, o corpinho rígido de fúria. Seria mesmo fúria? Ou outra coisa? Afasto esse pensamento e me concentro de novo no bebê imaginário. – Ela adora quando lhe dou mamadeira – acrescento para reforçar. – E quando canto para ela.

Hum. Talvez eu tenha extrapolado. Mamãe parece cética.

– Já examinaram os ouvidos dela?

– Muito engraçado.

– Bom – mamãe diz. – Ela parece mesmo perfeita. Quase boa demais para ser verdade. Imagino que de vez em quando produza uma fralda malcheirosa? Ou será que o que sai do bumbum dela tem uma leve fragrância de flores do campo?

Percebo que exagerei um pouco.

– Ah – digo. – Fraldas fedidas. Sim, claro. Argh.

– Bem, acho ótimo que tudo corra tão placidamente – diz mamãe, e sua voz encerra uma leve rispidez. Saberá que estou mentindo?

– Você já esteve aqui sem eu saber?

– O quê?

– É que às vezes tenho a impressão de que você me observa. Como outro dia, quando eu estava conversando com o papai na sala sobre... umas coisas. E pensei que talvez você pudesse ouvir.

– O quê? Você acha que ando espionando?

– Não é bem isso...

– Acha que eu me deslizo por aí e me escondo atrás de uma planta de plástico? Que eu sento nos cafés e leio um jornal com dois buracos recortados nele? Que uso um desses óculos com bigode? – ela ri com tanta vontade que começa a tossir e precisa beber um gole de água do meu copo. Depois, procura se controlar. – Na verdade, sempre pensei em mim mesma mais como uma investigadora. Detetive particular. Eu seria ótima nisso. Tenho todos os requisitos. Discreta. Imperceptível. Com dotes de camuflagem, como um camaleão. Não acha?

– Não foi o que eu quis dizer – retruco, irritada.

– Então o que você tem medo de que eu descubra? Está escondendo alguma coisa?

Não sei por quê, mas penso na foto de mamãe e James guardada no meu criado-mudo.

– Não, claro que não.

Pensei que talvez pudesse lhe fazer algumas perguntas sobre ele, mas agora não é o momento. Ela simplesmente vai me comer viva e interpretar tudo errado.

Mamãe ergue a sobrancelha.

– Então por que será que tenho a impressão de que você não está me contando tudo?

– Porque você é desconfiada – arrisco.

Ela suspira.

– Será que você não pode ser sincera comigo, Pearl? Sou sua mãe.

– *Estou* sendo sincera.

Ela dá outro suspiro e apanha o maço de cigarros no bolso.

– Tudo bem, se é o que você diz.

– É, sim.

– Bom, eu nunca... – ela diz ao abrir a janela. – Venha cá ver uma coisa.

– O quê?

– Tem um rapaz bem bonito escavando o jardim da vizinha. Venha ver.

Chego até a janela e vejo de relance Finn desaparecer dentro da casa de Dulcie.

– Ah, você perdeu – diz mamãe. – Ele entrou. Pena. É muito atraente.

– Não é, não – digo, me esforçando para não pensar em como seus olhos são azuis e no jeito como seu cabelo cai sobre eles.

– Como é que você sabe? – ela se vira para mim com interesse.

– Já o vi.

O rosto de mamãe se ilumina.

– *Ah, é?* Quando?

– Duas vezes.

– E aí?

– E aí o quê?

– Você conversou com ele?

Enrubesço ao lembrar o completo horror da primeira vez que o vi e depois da segunda vez, quando Finn percebeu que deixei o Rato sozinho. O que será que ele pensa de mim?

— Conversei.

Mamãe repara no meu rubor, sei que repara, e interpreta errado.

— *E aí?* — diz com um sorriso largo.

— E aí o quê?

Ela dá um suspiro.

— Às vezes você não é fácil, Pearl.

Dou de ombros.

— E aí nada.

— Mas como ele é?

— Ele é apenas... Não sei. Ele só estava no jardim. Não conversamos muito.

Ela se impacienta e estala a língua com desaprovação.

— Ah, Pearl. Francamente.

— Mas o que você quer que eu faça? Invente alguma coisa? Tudo bem — digo. — Os olhos escuros e profundos dele encontraram os meus através de uma sebe. Ele me tomou nos braços musculosos, e eu admirei a linha do seu maxilar, tão perfeito, másculo e...

— Você anda lendo os romances publicados pela Mills & Boon?

— A avó da Molly da Irlanda os lê. A Molly costumava trazê-los para cá escondidos na mala.

Mamãe sorri.

— A querida Molly. Como ela está?

— Bem. Ainda de férias. Com o Ravi.

— Ah.

Fica quieta um momento.

– Você está se sentindo sozinha? – pergunta, afinal.
Eu sorrio.
– Não – dou uma risada. – Claro que não.
No fim das contas, mentir não é tão difícil.

Um asteroide vai atingir a Terra. Está tudo lá no jornal que papai deixou sobre a mesa antes de levar o Rato ao parque. *Cientistas da Nasa detectam ameaça... Armagedom... Pode atingir a Terra em 2040.* Posso imaginar esse imenso pedaço de rocha, letal e inexorável, com o nosso nome marcado nele, voando silenciosamente através do espaço na nossa direção.

Olho para a torrada queimada em meu prato e decido que, no final das contas, estou mesmo sem apetite. Subo para me vestir, mas aí resolvo que, como é sábado e não preciso cuidar do Rato, voltarei para a cama. Não tenho nada para fazer. Molly continua de férias, e ninguém mais se dá ao trabalho de me procurar.

Paro um segundo, recordando como a gente costumava se reunir aos sábados, Molly, eu e os outros. Parece que foi há muito tempo, é quase irreal, como se nunca tivesse acontecido. Eu me acostumei a ficar sozinha, e é muito fácil evitar as pessoas quando a gente não tem celular. Além disso, faz meses que não ligo meu computador.

Estou indo deitar quando ouço uma pequena comoção na rua. Olho pela janela para ver o que está acontecendo. Um táxi preto parou a duas portas da nossa, e há uma discussão entre o motorista e uma mulher que não consigo enxergar por causa de uma árvore. Tem também um cachorro latindo em algum lugar. O latido ecoa nas paredes.

Volto para a cama e fecho os olhos. Mas, minutos depois, a campainha soa com um toque bem longo. Penso em ignorá-la, mas logo a seguir ouço mais dois toques impacientes. Enfio um agasalho velho da mamãe por cima do pijama, desço as escadas e abro a porta.

À soleira, posta-se uma mulher pequena e glamorosa, velha mas não *realmente* velha: uns sessenta anos, eu diria, embora esteja usando um monte de maquiagem e eu seja uma negação para adivinhar a idade das pessoas. Tem cabelo loiro e curto, e óculos de grife espetados no alto da cabeça. Veste uma jaqueta creme que tem jeito de ser cara. Atrás dela está o motorista de táxi que eu vi pela janela, segurando um conjunto de malas de couro roxo.

– Esse "cavalheiro" aí quer me cobrar uma taxa adicional! – diz de modo afetado com sotaque escocês, enquanto aponta para o motorista com o polegar de unha pintada.
– Pelo *Hector*. – Ela olha para mim, ultrajada, evidentemente esperando uma reação. Eu a encaro de volta, atônita. Ela é sem dúvida maluca. Olho o motorista para ver se ele me explica o que aconteceu, mas ele está vermelho e suado por causa das malas, e também por causa da raiva.

– NÃO levo cachorros no meu táxi. Exceto cães-guia, claro – acrescenta, em tom de desculpas para mim, como se quisesse provar que não é um monstro.

– Pois então você devia ter avisado quando embarcamos – diz a mulher, como se fosse a própria Rainha.

– Ah – começo, sem saber direito como começar. Quem é ela? Por que está aqui? Por que os dois falam comigo como se eu soubesse o que está acontecendo? Também fico meio confusa, pois ela parece ter um cão invisível.

— Como é que eu ia adivinhar que você tinha um maldito cachorro? Você o contrabandeou nisso aí — ele aponta de modo acusador para a bolsa grande debaixo do braço da mulher maluca e, quando miro a bolsa, noto um par de olhos brilhantes espiando, desconfiados, o que responde pelo menos a uma pergunta.

— Até parece que o contrabandeei — ela o encara, furiosa. — Nunca ouvi tamanho absurdo.

— Desculpe — começo de novo — Acho que você se enganou...

— Receio que não seja higiênico, minha querida — o motorista me explica. — E sou alérgico. — Como que para confirmar o que diz, ele dá um forte espirro, derrubando as malas no chão.

— Não, o que eu quis dizer...

— *Não é higiênico?* — por um momento, penso que a mulher maluca vai bater no motorista. Ela cobre a abertura na bolsa por onde Hector (presumivelmente) espia, como se quisesse poupá-lo do estresse de ouvir tamanha calúnia. A bolsa começa a emitir um latido mal-humorado, que fica mais alto à medida que a mulher maluca fica mais zangada. — Como é que você ousa dizer isso? Você é um ignorante, um sujeitinho idiota...

— Espere aí — o motorista pega um lenço e assoa o nariz ruidosamente, depois fulmina a mulher com o olhar. — Não vou aceitar isso, nem mesmo de uma idosa.

Ela fica da cor das malas e se empertiga ao máximo, o que significa que consegue chegar à altura do peito do motorista.

— E quem é que você está chamado de *idosa*?

– COM LICENÇA! O QUE VOCÊS ESTÃO FAZENDO AQUI? – grito. Os dois voltam toda a sua atenção para mim pela primeira vez, e me dou conta de que ainda estou vestindo a calça do pijama e o agasalho velho da mamãe. A mulher me olha de cima a baixo e estala a língua.

– Meu bem, meu bem – diz. – Não precisa gritar, Pearl.

Eu a encaro. Ela sabe meu nome.

– Quem é você? – digo devagar, pois enquanto falo detecto algo familiar nela, algo que eu conheço mas não consigo lembrar...

O motorista, confuso, olha para a mulher e para mim.

– Você não disse que sua neta morava aqui? – ele me olha e dá umas pancadinhas no lado da própria cabeça. – Desculpe, meu bem, acho que ela tem um parafuso a menos.

– *Vovó*? – eu a fito com incredulidade. Mas é isso, agora sei que é ela, mesmo não a tendo visto desde que eu tinha quatro anos.

Ela me olha como se eu é que estivesse tendo um comportamento esquisito.

– É claro. Quem mais eu poderia ser? Agora chega dessa besteira toda. Vamos entrar?

– Não – digo, e ela me encara.

– Perdão?

– Você não pode entrar. É a casa da mamãe. Ela não gostaria que viesse aqui. Você não é bem-vinda.

Ela sorri para mim como se eu ainda fosse a menina de quatro anos que viu pela última vez.

– Não seja boba, Pearl.

— É sério — digo. — O papai não vai gostar muito se chegar e descobrir que você apareceu aqui sem mais nem menos.

Ela olha para mim surpresa, arqueando as sobrancelhas depiladas e delineadas com lápis.

— Pearl, meu bem, quem você acha que me chamou? Ele não lhe contou?

Papai não faria isso pelas minhas costas. Ah, não. Mas, claro... A conversa que foi adiada e nunca tivemos. O telefonema que interrompi. Foi por isso que ele teve um comportamento tão evasivo. Balanço a cabeça devagar.

— Era para eu chegar no próximo fim de semana — ela diz —, mas consegui mudar meus planos na última hora e pensei em fazer uma surpresa para vocês dois.

— Parece que você fez mesmo uma bela surpresa — diz o motorista do táxi.

— Não precisa ficar assim, minha menina — a vovó diz como se ele não existisse. — Vim para ajudar. Para organizar tudo.

Ela tira Hector da bolsa, que se revela um pug. Com seu nariz preto e arrebitado, ele fareja um dente-de-leão que brota numa rachadura no caminho do jardim. Aí levanta uma perna para batizar o alpendre e trota vestíbulo adentro, as patinhas arranhando o piso de cerâmica. Fuligem, que está sentada ao pé da escada lambendo uma pata, fica com o rabo eriçado feito um desses espanadores antiquados e corre para a porta dos fundos.

— Não sou a *sua menina* — digo a vovó. — E não preciso de ajuda para organizar nada.

Ela sorri como se eu fosse uma criancinha que acabou de dizer uma coisa muito engraçada sem se dar conta.

– Você é mesmo muito parecida com sua mãe. Que Deus a tenha. Pobre, querida Stella – ela faz uma pausa, coloca a mão no meu ombro e parece genuinamente triste. Mas isso não dura muito. – E *você* – diz, se virando para o motorista – pode me ajudar com essas malas, por favor.

– Acho que não, meu amor – ele torna a espirrar.

– Vai ajudar, sim, se quiser receber pela corrida – diz ela, e o motorista apanha as malas de novo com um resmungo e as carrega para o vestíbulo.

– Londres – ela diz num tom mordaz quando passa por mim e entra na casa, deixando atrás de si um implacável rastro de perfume floral. – Tem um grafite ofensivo na sua parede aí na frente, você sabe. E não está nem escrito corretamente.

Pergunto-me vagamente o que ela espera que eu faça. Que o apague? Ou que arranje um spray de tinta e o corrija? Depois de dez minutos, é como se a vovó sempre tivesse morado aqui. Está ocupada na cozinha fazendo chá, dando a Hector biscoitos de cachorro que tirou de uma de suas várias bolsinhas, se pergunta em voz alta quando papai e o Rato estarão de volta, reclama do estado da casa. Umidade no corredor. Cupins no piso de madeira. Cozinha que não foi reformada desde o início dos tempos. Jardim como a floresta de Bornéus. Olho para fora através das janelas do pátio. A paisagem ali está mais selvagem do que nunca. *Um jardim desenvolvido*, o corretor imobiliário havia dito. *Um desafio para o jardineiro entusiástico.*

Ele tinha olhado esperançoso para papai, que disse: *Então vamos torcer para o bebê nascer com um dedo verde, não é?*

– Bom, nós gostamos daqui – minto.

– Este lugar parece os destroços de um bombardeio, Pearl. O que foi que deu neles para mudar para cá com um bebê na barriga?

– Na verdade, ainda faltavam meses para o parto – e, se você quer pôr a culpa em alguém, então ponha a culpa nele, tenho vontade de dizer.

– Isso não muda nada. – Vovó examina o fogão, que agora está coberto por uma grossa camada de pó. – Simpático. Minha avó tinha um desses.

– Era para a gente ter mudado há muitos meses. Deu tudo errado. Financiamentos. Pesquisas. Problemas. De qualquer modo, mamãe disse que só precisaria de pintura e dedicação.

Na realidade, quando mamãe disse isso, repliquei que ela provavelmente estava louca e deveria procurar ajuda médica, mas preciso defendê-la da vovó agora que não está aqui para se defender.

– É, ela sempre teve imaginação fértil – vovó diz em tom de desaprovação. Depois dá um suspiro. – Eu realmente lamento muito, Pearl. Sobre a sua mãe.

– Não lamenta, não – digo. – Eu sei como era a relação de vocês duas. Você a detestava. Então não precisa fingir que está chateada.

Ela balança a cabeça.

– Não é verdade, meu bem. Não é mesmo. Nós tínhamos nossas diferenças, mas eu não detestava a sua mãe.

– Você nem queria que ela e o papai se casassem. Você achava que ela era uma horrível mãe solteira.

Vovó coloca duas xícaras de chá na mesa.

– Eu me preocupava como qualquer mãe – diz enquanto limpa cuidadosamente a cadeira ao meu lado com uma das toalhinhas higiênicas do Rato que o papai deixou ali. – Só quero que o Alex seja feliz. E pode ser que no começo eu tenha tido minhas reservas. Mas vi que ele estava feliz com Stella. E com você. Mais feliz do que eu jamais o vi – ela finalmente senta e despeja adoçante em sua xícara. – Ele a amava. E adorava você. Nunca vi ninguém babar por um nenê como ele babava por você. Se eu gostava da Stella ou ela de mim, não mudava isso.

Bom, agora era fácil para ela falar, não? Fico quieta olhando para meu chá. Hector vem cheirar meu pé. Já parece bem à vontade aqui. Eu me pergunto se jamais voltaremos a ver Fuligem. Se eu pudesse fugir para o jardim e me esconder, teria sumido também.

– Seja como for – vovó diz com vivacidade –, agora não é hora de remexer nisso. Deixe-me dar uma boa olhada em você, querida.

– Querida?

– A última vez que vi você, ainda era uma coisinha miúda e gorducha. Eu costumava chamar você de "minha preciosa Pearl", lembra?

Minha preciosa Pearl?

– Não – vovó diz, colocando Hector no colo, e percebo que debaixo da maquiagem ela é mais velha do que aparenta. Parece cansada. – Acho que não lembra. Puxa vida.

Ela fica ali sentada, perdida em pensamentos, olhando para mim até eu me sentir tão constrangida que preciso levantar com o pretexto de procurar qualquer coisa do outro lado da cozinha.

– Você está magra demais, meu bem – ela diz afinal, saindo do transe. – Vou ter de alimentar você um pouco. O que será que faço para o jantar? Escondidinho de carne costumava ser o seu prato preferido.

Eu me viro a ponto de protestar, quando escuto a chave girando na porta da frente e depois o som característico de papai lutando para enfiar aquele carrinho idiota dentro de casa. É preciso posicioná-lo no ângulo exato para passá-lo pela porta, senão ele não cabe, nem mesmo depois de o papai ter tirado a cômoda da entrada.

– Aí estão eles! – o rosto da vovó se ilumina. Fica tão animada que até tira Hector do colo, que se posta a seus pés, agachado e destemido, e a olha. Papai entra na cozinha e Hector recomeça o latido rouco. Quando papai vê a vovó, fica em choque e para. Aí olha ansioso para mim.

– Você não vinha só na próxima semana? – ele diz à vovó.

– Bem, isso é que são boas-vindas – diz ela. – Pensei que você ficaria contente de me ver.

– Estou contente, mamãe, claro que estou – papai se aproxima e a abraça, e ele parece tão aliviado e ela tão feliz, que me dá vontade de vomitar.

– O que ela veio fazer aqui? – pergunto, mesmo já sabendo a resposta. Claro que sei, não sou boba.

– Eu queria lhe contar, meu amor, mas não tive oportunidade. A vovó veio cuidar da Rose por uns tempos – diz papai. – Até a gente achar outra solução. Assim você não precisa mais se preocupar com isso.

– Posso muito bem tomar conta dela – digo, mas fico tão aliviada de não ter mais de cuidar do Rato que uma parte de mim se alegra com a presença da vovó, apesar de tudo. Antes da chegada do papai, eu havia planejado fazer uma cena daquelas, do tipo *Ou ela ou eu*. Mas agora penso: para quê? Alguém precisa cuidar do Rato. E eu é que não vou cuidar. Além disso, não sou obrigada a conviver com a vovó. Quando fico em casa, passo a maior parte do tempo no meu quarto, fora do caminho do papai e do Rato. Não vou precisar nem falar com a vovó se eu não quiser.

– Mas, desde o começo, você não queria cuidar dela – papai diz, surpreso. – E era para ser um arranjo temporário. De qualquer jeito, você vai voltar a estudar daqui a algumas semanas.

Esse tempo todo, a vovó não tirou os olhos do papai.

– Você parece mais velho, Alex – diz. Eu me pergunto quando foi a última vez que ela o viu. Lembro que ele costumava visitá-la ocasionalmente e passava o fim de semana com ela, mas deixou de fazer isso desde que eu era criança. Mamãe ficava mal-humorada e batendo o pé até ele voltar. Uma vez perguntei a ela por que não podia ir junto com papai. Mamãe quase me comeu viva e nunca mais perguntei.

– Bom, eu estou mais velho – diz ele. – Faz um tempo que a gente não se vê.

Mas eu sei o que ela quer dizer. Papai aparenta mais idade do que deveria. A vovó o encara como se tentasse colocá-lo em foco, tentando enxergar seu filho no homem cansado de cabelos embranquecidos que está diante dela.

– É, faz um tempo – Hector gane a seus pés e ela o pega no colo, acariciando-o e forçando um sorriso. – Onde está ela? A minha netinha? – sua voz fica toda melosa. – O que você fez com o meu anjinho?

– Ela está no carrinho – papai diz, com um sorriso. – Dormindo. Venha ver.

Vovó o acompanha até o vestíbulo, seus sapatos de salto ecoando no piso, e posso ouvi-la falar baixinho. Paro à porta da cozinha, e observo os dois. Vovó tira o Rato do carrinho cuidadosamente. O Rato quase desaparece dentro do macacãozinho – suas roupas ainda são muito grandes para ela –, e a vovó a aninha nos braços a fim de ver seu rosto adormecido.

– Oi, Rose – sussurra.

Papai olha para elas e parece mais feliz do que lembro em muito tempo. Não se preocupa com o que mamãe acharia. Não se preocupa com o que eu acho.

Na verdade, todos esqueceram que estou aqui.

* * *

Naquela noite, depois que a vovó coloca o Rato no berço, papai tira todas as caixas da mamãe do estúdio e arma o sofá-cama lá. Assisto, furiosa, à transformação do estúdio da mamãe no quarto da vovó, lotado de uma infinidade de malas roxas.

– Desculpe, mamãe – papai está dizendo. – Sei que não é exatamente uma acomodação de luxo. Eu pretendia arrumar as coisas antes da sua chegada. Não sei onde vamos colocar tudo isso.

E, de repente, não estou mais furiosa.

– Ah – digo. – Eu não me incomodo de guardar algumas caixas no meu quarto.

Quando me certifico de que vovó e papai foram deitar, vasculho de novo a caixa marcada como PESSOAL, mas não encontro nada relacionado a James.

Procuro não ficar decepcionada, mas fico. Aí tenho uma ideia. Pego o computador no canto, debaixo da minha cama, onde ficou acumulando pó, conecto-o na tomada e ligo. Sento-me então olhando para a tela à luz da luminária. Por que estou tão nervosa? Não preciso me sentir culpada. Só quero saber um pouco mais sobre o meu pai. Não há nada de errado nisso. Não vou contatá-lo nem nada. Não tem nada de mais. Estou apenas curiosa. Não obstante, empurro uma caixa grande contra a porta para o caso de a vovó resolver entrar no quarto. Já percebi que ela é o tipo de pessoa capaz de pressentir quando algo que ela não aprova está prestes a acontecer.

Outra coisa que me preocupa é a possibilidade de mamãe aparecer para xeretar.

Digito o nome dele – James Sullivan – e, antes que eu possa pensar em razões para não fazer isso, clico no botão de busca. Demora um pouco para carregar os resultados; a conexão sempre cai aqui. Aí a barra de rolagem aparece. *Aproximadamente 82.700.000 resultados.*

Oh.

Fico sentada ali um tempo, fitando a tela e me sentindo idiota. O nome dele é bem comum. Eu deveria ter previsto que haveria um zilhão de gente com o mesmo nome. Como é que vou rastrear o James certo? Abro algumas páginas. Há médicos, estudantes, advogados, esportistas, um palestrante de filosofia, um treinador de cães; as páginas não acabam mais. Estão espalhados no mundo inteiro, então acrescento "Reino Unido" à busca, achando que isso vai reduzir o número de resultados. Reduz, sim – para cerca de 21.500.000. E aí me dou conta de que, seja como for, não sei se ele vive no Reino Unido ou não. Pode ter emigrado. Pode ser que nem esteja listado como James. Talvez ele chame a si mesmo de Jamie, Jim ou Jimmy, ou pode ser que adote seu nome do meio ou algum apelido idiota. Navego por mais algumas páginas. Há jovens, velhos e falecidos. Mamãe me contaria se ele tivesse morrido, certo? Mas será que ela saberia? Percebo que não faço nem ideia se os dois ainda mantinham contato.

Reflito um momento, procurando lembrar a conversa que tivemos sobre ele há muito tempo, tentando em vão encontrar algum fragmento esquecido que seja útil.

Mas não há nada que possa me ajudar. Terei de perguntar à mamãe.

AGOSTO

– Não se preocupe com a gente – vovó grita jovialmente enquanto me sento no sofá fingindo ler um livro. Ela passa o aspirador de pó em volta dos meus pés e equilibra o Rato no quadril. – Já vamos terminar, não é, Rosie Posie?

Faz só três semanas que ela chegou aqui, mas parece uma eternidade, talvez até mais. A casa está irreconhecível. Tudo foi esfregado, clareado e polido até quase o talo. Não dá para colocar uma xícara de café numa superfície sem que vovó apareça tagarelando alto e enfie um porta-copo debaixo. O Rato dorme a noite inteira sem dar um pio. Só "precisava de uma rotina", a vovó fica repetindo para a gente, muito satisfeita consigo mesma.

– Aí talvez você possa me ajudar a fazer um purê de pera para o almoço da Rose – diz, desligando o aspirador. – Meu tesourinho está ficando com fome, não é? – O Rato sorri e balbucia para ela. Fervo silenciosamente de raiva diante de sua traição.

– E se você tentasse dar comida a ela? – diz.

Vovó compra montanhas de frutas e legumes orgânicos e faz uma papa, que o Rato deixa escorrer pelo queixo ou espirra no chão da cozinha. O processo todo é nojento só de olhar, quanto mais de participar.

– Não posso – apresso-me em dizer, levantando. – Tenho de fazer umas coisas.

Mas, quando me encaminho para a escada, a campainha toca.

– Você atende a porta, Pearl? – vovó grita.

Abro a porta e me deparo com Molly, mais bronzeada e loira do que nunca.

– Ah, Pearl – diz, dando-me um abraço. – Como você está? Há quanto tempo. Eu precisava ver você logo que cheguei. Senti muito sua falta.

– É mesmo? – digo, ceticamente. – Enquanto você passava as férias no apartamento de luxo do seu namorado na Espanha?

– Foi *incrível* – ela diz, sorrindo. – Mas claro que senti saudade. Pensava em você todos os dias.

Ficamos ali um momento.

– De qualquer jeito – ela diz –, não posso ficar muito tempo. Preciso tomar conta dos meninos de novo. Só queria ver você e... – faz uma pausa. – Achei que poderia ver o bebê.

– Ah, sim.

Então foi por isso que ela veio aqui.

Fico parada à soleira da porta pensando em um motivo para ela não poder entrar. Mas é claro que vovó aparece bem nessa hora com o Rato nos braços e diz:

– Você deve ser a Molly. A Pearl me falou muito de você.

Falei mesmo. A M16 e a CIA teriam muito a aprender com as técnicas de interrogatório da vovó. Ela vence pelo cansaço, a ponto de a gente dizer qualquer coisa só para se livrar dela.

– Ela é a minha avó – explico, meio resignada. Mas Molly não olha nem para mim nem para vovó. Está fascinada pelo Rato.

– Rose – diz com reverência. – Ah, Pearl. Ela é *perfeita*.

– Não é mesmo? – diz vovó, se deleitando por ter encontrado uma aliada. – Entre, meu bem, e tome uma xícara de chá, assim você tem mais tempo para ficar com ela. Nós íamos dar o almoço a ela, não é, Pearl?

Não respondo nada e me limito a segui-las. Depois me sento e fico olhando enquanto elas dão risada, fazem bilu--bilu e servem a gororoba ao Rato.

– Posso segurá-la? – Molly pergunta à vovó quando ela termina de comer.

– Claro – diz vovó, erguendo o Rato fedorenta da cadeira e depositando-a delicadamente nos braços de Molly.

– Oi, Rose – Molly diz. Seu rosto se ilumina com entusiasmo e ternura, exatamente como eu previa. O Rato responde balbuciando. Molly a leva até a janela e aponta para as coisas que há no jardim: os pássaros, as folhas das árvores balançando suavemente com a brisa. Ela parece tão à vontade e feliz com o Rato que não consigo olhar. Pego a revista da vovó na mesa e tento me concentrar em *15 maneiras de preparar berinjela*.

Finalmente, com relutância, Molly devolve o Rato à vovó.

– Preciso ir – ela diz. – O turno da mamãe logo vai começar. O que você acha de eu voltar na terça-feira, assim nós vamos andando juntas para buscar o resultado das provas?

Tenho um lampejo de ressentimento porque ela tenta agir com naturalidade, como se a gente pudesse fingir que está tudo bem, do jeito que costumava ser.

– Eu não pretendo buscar meus resultados – digo enquanto folheio a revista.

Segue-se uma pausa, e sinto que a Molly e a vovó me olham.

– Como assim?

Encolho os ombros sem erguer o rosto.

– Não me importo com isso. É perda de tempo.

– Deixe de bobagem, Pearl – vovó diz. – Claro que você vai buscar os resultados.

– Não vou, não – digo.

O Rato começa a choramingar.

– Bom, me ligue se mudar de ideia, tá? – diz Molly.

– Não vou mudar de ideia – digo, fingindo grande interesse numa matéria sobre velas perfumadas. – Você não disse que estava com pressa?

* * *

Ela vai embora e sigo direto para meu quarto, antes que a vovó venha me aborrecer.

– Você sabe que deixou sua amiga chateada – vovó diz às minhas costas. – Além disso, ela é uma menina adorável. Você foi bem rude com ela, Pearl.

Mas não dou a mínima.

Não posso perdoar Molly por amar o Rato mais do que eu amo.

Dias depois, o Envelope está na mesa da cozinha quando desço para tomar o café da manhã. O Envelope dos Resultados das Provas. Papai e vovó ficaram em cima de mim a semana toda desde que eu disse que não pretendia buscar os resultados. Vovó recorreu à exultação, à ameaça e ao suborno, mas não me fez mudar de ideia. Agora os dois estão parados de pé com um sorriso de orelha a orelha, me olhando atentamente. Até o Rato me observa de seu cadeirão, onde a vovó a acomodou com uma almofada para levantá-la. – Bom dia – vovó diz, jovialmente. – Dormiu bem?

– Quer café? Ou chá? – diz papai antes que eu possa responder à pergunta dela.

– Na verdade, acho que vou passar sem café da manhã – digo. – De todo jeito, não estou com fome.

Levanto e me encaminho para a porta.

– Não! – vovó exclama. – Você não pode fazer isso!

– Mas os seus resultados... – papai diz, tentando parecer calmo. – Não quer vê-los?

– Não.

Há uma pausa.

– Talvez não queira vê-los na nossa frente – papai sorri para mim de modo encorajador. – Entendo perfeitamente. É um assunto particular. Pode levar o envelope lá para cima. Você nos conta como se saiu quando estiver a fim.

– Não é isso – digo. – Simplesmente não quero saber.

– Olhe – papai se aproxima e segura minhas mãos. – Não deve se preocupar. Sabemos como este período é difícil para você, e que enfrentou muita pressão durante as provas. Ninguém vai ficar desapontado com você, meu amor. E há sempre as segundas provas. Teremos orgulho de você, não importam os resultados.

– Não estou preocupada. Simplesmente não me importo. Seja como for, que diferença faz?

– Como assim? – vovó pergunta. – É lógico que tem importância.

– Tudo bem – replico, irritada. – Se tem tanta importância para você, pode abrir o envelope.

– Não podemos fazer isso – diz papai.

– Ah, podemos, sim – vovó diz, pegando o envelope na mesa para o caso de eu mudar de ideia.

– Podem ir fundo. Divirtam-se. Eu vou tomar banho.

Subo as escadas pisando duro e, ao fechar a porta do banheiro, ouço guinchos lá embaixo.

– Pearl! – vovó chama, contente – Pearl? Acho que você vai querer ver isso, meu bem!

Fecho e tranco a porta do banheiro.

Estou passando xampu no cabelo quando ouço um espirro alto que vem da direção do vaso sanitário. Eu me viro ligeiramente e noto a silhueta enevoada da mamãe através da cortina manchada do chuveiro.

– Não posso ficar – diz ela. – Só vim para lhe dar parabéns pelos resultados das provas.

Sem querer, esboço um sorriso.

– Nem sei ainda quais foram as minhas notas.

– Mas, a julgar pelo frenesi e entusiasmo lá embaixo, acho que você não foi reprovada em todas as provas.

– Acho que não.

– A vovó deve estar pensando em todos os argumentos que provam como você é um gênio graças aos genes dela. Não vai deixar que detalhezinhos, como o fato de não vê-la desde que você tinha quatro anos e nunca ter exercido nenhuma influência sobre você, fiquem no caminho.

– Então você sabe que ela está aqui?

Ainda não consegui descobrir se a mamãe sabe mais do que revela sobre o que acontece nos intervalos de suas visitas. Achei que teria de lhe dar a má notícia sobre a chegada da vovó, e uma parte de mim temia sua fúria enquanto outra parte estava louca para contar; seria bom ter uma aliada contra a vovó.

– Ah, sim – diz mamãe num tom de indiferença. – Eu reconheceria aquele perfume em qualquer lugar. Sempre me provocou... – interrompe-se com um espirro. É verdade. O perfume com fragrância floral da vovó é um tanto forte e parece ter empesteado a casa inteira. De vez em quando posso senti-lo até no meu quarto, provavelmente porque ela insiste em limpá-lo nas raras vezes em que não estou lá. Já ameacei colocar uma tranca na porta. – E vamos ser sinceras: é quase impossível não notar a presença da vovó, certo? Eu tinha esquecido como ela fala alto. O pessoal deve escutá-la até lá em Edimburgo, coitados.

Ela parece contente com a situação, o que me desaponta.

– Achei que você ficaria furiosa.

Mamãe dá um suspiro.

— Olhe, não vou dizer que estou soltando rojões. Mas com o papai trabalhando e você voltando às aulas em breve, alguém tem de cuidar da Rose, não é?

Sei que tem razão, mas não posso deixar de ficar desapontada por ela não se zangar com o papai e a vovó.

— Para você, é fácil falar porque não precisa conviver com a vovó — resmungo. — Ela é um pesadelo. Fica o tempo todo atrás de mim. Faço uma imitação caprichada de seu sotaque escocês, todo arrastado e metido: *Na sua idade, você deveria sair e se divertir em vez de ficar com essa cara. Deveria comer mais. Deveria arrumar um namorado. Quando eu tinha a sua idade, estava namorando o vovô, que Deus o tenha.* Ela me deixa maluca.

Vovó também pega no meu pé o tempo todo para eu fazer coisas com Rose. *Oooh, será que você pode ficar com ela um minutinho enquanto eu vou comprar uma coisa?* Ou: *Você não quer terminar de lhe dar a papa, assim eu posso fazer o jantar?* É infalível, o Rato chora inconsolavelmente quando vovó a coloca nos meus braços. *Ah, olhe como ela adora a irmã mais velha,* a vovó sempre diz sem o menor cabimento. Mas não conto nada disso à mamãe.

— Ai, ai — mamãe ri. — Coitadinha. Tenho dó de você, Pearl, de verdade. Mas a Rose tem prioridade — diz com firmeza. — Sei que você compreende isso.

Fico tão chocada que não consigo falar. Ainda bem que a cortina do chuveiro esconde minha expressão.

— Bom, não vamos perder tempo falando da vovó. Hoje é o seu dia. Estou tão orgulhosa de você. Eu sabia que tiraria boas notas.

Não digo nada.

– Pelo amor de Deus, você poderia se animar um pouco.
– Que importância isso tem?
O rosto impassível de mamãe surge na brecha da cortina.
– Ah, não comece de novo, Pearl.
– Mamãe!
– O quê?
– Quer me dar um pouco de privacidade?
– Até parece. Já vi tudo isso – ela me fita atentamente. – Você está bem? Seus olhos estão vermelhos.
– Foi o xampu que caiu neles – minto. Não quero que perceba como estou magoada. – Você me passa a toalha?
Nenhuma toalha se materializa.
– Você nunca mais saiu.
– O namorado de Molly vai dar uma festa na próxima semana. – Molly não para de telefonar para falar disso. Está louca para eu conhecer melhor o Ravi. – Talvez eu vá.
– Prometa que irá.
– Me passe a toalha.
– Só se você prometer que vai à festa.
– Tudo bem, eu prometo.
Ela me dá a toalha e um beijinho no rosto.
– Você não se arrependerá de ir.
– Tudo bem. Agora você pode se retirar, por favor, para eu me vestir em paz?

Quando me aproximo da porta da casa de Ravi, me alegro por ter bebido vodca antes de sair. Eu me sinto bem e descontraída, e nem um pouco nervosa pelo fato de a casa do Ravi ser bem mais luxuosa do que eu imaginava, ou de não conhecer os amigos dele e de provavelmente não gostar deles, mesmo que os conhecesse. Quase me acovardei no último minuto, mas, quando já estava prestes a ligar para Molly e avisar que tinha desistido de ir, o rosto da mamãe surgiu na porta do meu quarto.

– Nem pense que não sei o que você está fazendo. Promessa é dívida, Pearl. Vá para a festa, você se divertirá quando estiver lá.

Então subtraí a vodca do armário de bebidas e, depois de beber um pouco, resolvi que talvez a festa fosse legal no fim das contas.

Toco a grande campainha de bronze e, após um momento, uma mulher linda e esfuziante, que deve ser a mãe de Ravi, abre a porta. Fico surpresa, pois não imaginei que seria esse tipo de festa. Ainda estou usando a roupa que apanhei no chão do quarto esta manhã e o suéter roído de traças da mamãe. Pelo jeito como a anfitriã me olha, não sabe se vim para a festa ou se vou querer lhe vender alguma coisa que ela não tem interesse em comprar.

– Sou a Pearl, amiga da Molly.

– Ah, sim – ela diz, me mostrando os dentes brancos e o batom brilhante. – Que ótimo. Sou a mãe de Ravi, Sarah. Entre, entre. Todo o mundo está no jardim – ela espera para receber outros convidados que chegaram em um carro 4 × 4.

A casa de Ravi tem muitos carpetes cor de creme, pisos brilhantes de madeira e vasos de flores. O aspecto geral é pura revista *Hello!**. Imagino uma foto de Molly e Ravi

---

* Revista semanal inglesa que mostra a vida das personalidades famosas – viagens, eventos, moda e intimidade. [N. da E.]

sentados em um dos sofás de época, com um sorriso congelado, e talvez algumas crianças espalhadas por ali. *Molly, Ravi e os trigêmeos nos convidam a visitar sua linda casa.* Esse pensamento, aliado à vodca, me estimula a dar uma risadinha, que eu espero que a esfuziante e sorridente Sarah não ouça, e isso me faz rir de novo.

Os fundos da casa se abrem para uma varanda com vista para um imenso jardim com uma espécie de marquise que abriga o bar e uma churrasqueira industrial. Pessoas de uniforme – *uniforme de verdade* – grelham hambúrgueres e servem as bebidas. Esse é o nível de sofisticação da festa. Nos fundos, há uma banda tocando uma música horrorosa, luzinhas pendendo das árvores e umas velas espetadas no solo. Tem muita gente. Alguns são obviamente amigos de Ravi, outros parecem parentes, tios e tias. Não conheço nenhum deles, o que é bom. Bebo mais um gole da minha garrafa e a guardo na bolsa.

– Bem – mamãe diz às minhas costas. – Isto aqui é chique.

– Eu sei – digo. – Eu esperava latas de cerveja na banheira e convidados passando mal.

– Ah, bom – diz ela. – Eu não reclamaria. Trate de aproveitar. Divirta-se ao menos uma vez. Só tome cuidado para não exagerar na bebida grátis se você já tomou vodca. Você não vai querer dar vexame na casa do namorado grã-fino da Molly, não é?

Desço os degraus da varanda em direção à marquise do bar.

Molly corre para mim e me abraça.

– Fico tão feliz de você estar aqui. Pensei que não viria.

– Isto não é bem o que eu imaginava.

– Vamos lá – ela me reboca. – Pegue uma bebida e venha dançar comigo. Ravi está tão ocupado falando com todos os parentes que eu mal o vi esta noite.

– Eu topo uma bebida, mas não danço de jeito nenhum.

– Tudo bem – ela diz. – Vamos conversar então. Pôr as novidades em dia.

Encontramos umas cadeiras mais afastadas e sentamos.

– Parabéns pelas suas notas – ela diz.

– E parabéns para você também.

– Foi tão divertido na Espanha – o rosto dela se torna levemente sombrio. – Uma pena mesmo ter de voltar.

– Ah, certo – digo. – Obrigada.

– Oh, não – ela segura minha mão. – Não foi o que eu quis dizer. É ótimo rever você, claro. Realmente tive *saudade* de você. Mas é que...

Ela para de falar.

– O que foi?

– Não tem importância. Vamos lá, só uma dança rapidinha?

Mas, quando ela tenta me puxar, Ravi aparece.

– Oi, Pearl – diz, e me dá dois beijos no rosto. Depois fica ali de pé, alto e desajeitado. – Obrigado por ter vindo. Está se divertindo? Posso lhe oferecer alguma coisa?

– Estou bem, obrigada – murmuro a seus sapatos, que pelo jeito ele provavelmente engraxou só para a festa.

– Você se importa se eu roubar a Molly só um minuto? – ele segura a mão dela. – Minha tia está louca para conhecer você.

– Ah, tudo bem – Molly parece tímida, mas contente.

– Volto num minuto, Pearl.

E os dois desaparecem no meio da multidão.

Depois de beber mais um pouco de vodca, descubro que é bem divertido conversar com pessoas que não sabem nada sobre mim. Como, por exemplo, uma das tias-avós de Ravi, que traja um lindo sari roxo. O padrinho dele. Um primo de Ealing. Nenhum deles tem pena de mim. Ninguém me pergunta como estou me sentindo. Posso lhes dizer qualquer coisa que me venha à cabeça. *Sou faixa preta de caratê. Estou me diplomando numa escola da Suíça. Toco guitarra havaiana. Meu pai é piloto de caça. Ah, sim, minha mãe na verdade é cantora de ópera.*

Ah, não. Nenhum irmão ou irmã. Sou filha única.

De vez em quando, dou um pulo no banheiro para beber mais vodca. Encontro ali exemplares da *The Economist*, o que me faz rir sem motivo aparente. Quando guardo a garrafa na bolsa, eu me dou conta de que já está pela metade.

– Você está acabando com a garrafa – mamãe diz, em algum lugar atrás de mim. – Não acha que já bebeu o suficiente? Beba um ou dois copos de água. E eu sei que você não tem se alimentado direito ultimamente, mas um pouco de comida não cairia mal.

– Você mesma disse para eu me divertir – enquanto falo, sem querer espirro loção hidratante nos meus sapatos, o que me faz rir de novo.

– Só me prometa não dar vexame. Nada de vomitar dentro da fonte ou tentar beijar um tio na boca. As coisas podem virar a maior confusão muito rápido, Pearl. E, acredite, eu sei do que estou falando.

– Estou bem.

Estou no meio de uma conversa com alguém que trabalha com o pai de Ravi, contando que cresci no interior da Austrália, quando percebo que o chão está se mexendo um pouquinho. Talvez mamãe estivesse certa. Vou ao bar e peço um copo d'água. Aí encontro uma mesa afastada onde possa me sentar sozinha até minha cabeça voltar ao normal.

– Pearl?

Olho à minha volta. Oh, não, é Taz. O horrível "chato de galocha egocêntrico" Taz, com quem eu costumava sair meio que por acidente. Que diabos ele está fazendo aqui? Bebendo, ao que parece. Até eu noto que se excedeu. Chega cambaleante à mesa, meio perdendo o equilíbrio, e senta na cadeira ao meu lado.

– Há quanto tempo – diz, bafejando vapor alcoólico em mim. – Tudo bem? Você está linda.

Ele chega mais perto, o que me recorda que eu não sentia a mínima atração por Taz nem quando saía com ele, se é que se poderia dizer que a gente saía.

– Taz – digo com o menor entusiasmo possível. – O que você está fazendo aqui?

– Jogo futebol com o Ravi.

Que maravilha.

– Como vai você? – pergunta com fala enrolada.

– Ah. Sabe como é.

– Ouvi a notícia sobre a sua mãe – ele tenta assumir um ar sério e solidário, mas seu olhar desliza para onde estaria a fenda dos meus seios se houvesse uma. Pousa a mão na minha. Está quente e suada, e eu a afasto cuidadosamente com minha mão livre. – Sinto muito – balbucia. – Muito, muito mesmo.

– Certo.

– Verdade.

– Tudo bem. Entendi.

– Posso ajudar em alguma coisa...

– Taz – digo, recolhendo a mão –, por acaso você está sendo solidário com a questão da minha mãe para chegar mais perto da minha calcinha?

Apesar de seu estupor, ele fica um pouco desconcertado.

– Não – faz uma pausa, e sua cabeça balança ligeiramente. – Na verdade, não.

– Foi o que pensei – digo. – Só o pior canalha faria uma coisa dessas.

– É.

Segue-se outra pausa, e dessa vez ele oscila tanto que quase cai da cadeira.

– Acho que vou pegar uma bebida – diz, afinal.

– Boa ideia.

– Quer alguma coisa?

– Não.

– Então tá. Depois a gente se vê.

– Não sei, não – digo, enquanto Taz avança cambaleando e quase derruba uma das tias mais bravas de Ravi, que não fica muito contente com isso.

As luzinhas da decoração estão começando a girar levemente. Pisco para que parem de se mexer. Mas tudo parece meio nublado e eu até que gosto assim...

— Você é a amiga de Molly, não é? Me desculpe, não lembro o seu nome.

Olho para ver quem está falando comigo, mas leva um tempo para que ela entre em foco. Claro, a mãe de Ravi, a esfuziante e sorridente Sarah.

— Pearl — murmuro.

— Uma menina tão encantadora, a Molly. Ela e Ravi parecem muito felizes juntos.

— Não é mesmo?

— É uma pena mesmo que ela esteja passando por um momento tão difícil.

Ergo os olhos.

— O que você quer dizer com isso?

— Bem, são os pais dela.

— O que tem eles?

— Você sabe. O processo de separação.

Eu a encaro, pensando que talvez esteja se confundindo. Dá a impressão de que já bebeu um tanto de champanhe; está um pouco menos esfuziante, um pouco mais brilhante. Mas aí penso em Molly e em como ela parecia triste horas antes e mudou de assunto em vez de me contar qual era o problema, e sei que Sarah não está se confundindo. Molly simplesmente não me disse nada.

— Ah, isso — digo.

Ela não me contou, mas contou ao Ravi.

— Pode ser muito duro para os filhos, mesmo na sua idade. Principalmente quando há tanto ressentimento. E estão usando a coitada da Molly como peão em seus jogos. Outro dia ela chorou só de falar nisso. Eu disse que ela não deve se sentir responsável: nada disso aconteceu por culpa dela. É mesmo muito egoísmo.

Então ela não só contou ao Ravi, como também contou à maldita mãe dele.

– Mas acho que nossas férias na Espanha ajudaram bastante – ela diz. – Foi uma oportunidade para ela relaxar e esquecer tudo. Foi tão bom. Mas imagino que ela já tenha lhe contado tudo sobre a viagem.

– Ah, sim – digo. – Claro.

– Só me pergunto como vão ficar as coisas quando Ravi for para a universidade – ela bebe seu champanhe, pensativa. – É difícil manter um relacionamento a distância. Mas tem gente que consegue, claro. Suponho que, se a relação for forte, resistirá.

As luzes estão rodando de novo. Fecho os olhos. Quando os reabro, a mãe de Ravi desapareceu. Não sei quanto tempo fiquei ali, mas esfriou bastante e eu, com certeza, estou bem tonta agora.

Toca uma música lenta, e vejo Molly e Ravi abraçados na pista de dança.

Decididamente, é melhor ir embora.

– Não acho boa ideia você ir caminhando sozinha para casa, Pearl – diz mamãe, mas não olho para ela porque preciso de toda concentração para andar em linha reta. – Você não podia ter dividido um táxi com a Molly?

– Molly vai passar a noite na casa do Ravi.

– Ah, entendo. Tem algum problema nisso?

– Por que teria algum problema nisso?

– Só parece que você não aprova.

Tento encolher os ombros com desprezo, mas estou com soluço, o que tira todo o impacto do gesto.

– Molly pode fazer o que bem entender. Não deve satisfação a ninguém.

Mamãe dá um suspiro.

– Pearl, quanto exatamente você bebeu?

– Se ela quer sair com o cara mais entediante de toda a história da história do universo inteiro, o problema é dela.

– Fico surpresa que ela deixe você ir para casa nesse estado – mamãe segura meu cotovelo e me desvia de uma caixa de correio.

– Não me despedi. Ela estava "Bem comprometida" – tento desenhar aspas no ar com os dedos, mas tudo o que consigo é entornar vodca nos pés. – Ela provavelmente nem reparou que fui embora.

– Molly parece estar firme com esse Ravi. Ele não pode ser tão ruim – diz mamãe.

– Bom, Molly obviamente não o acha ruim. Prefere passar o tempo com ele do que comigo, então está tudo certo.

– Bem, você não tem sido exatamente... sociável nos últimos tempos, não é?

– Ah, então agora a culpa é minha?

– Eu não disse isso.

– Ela gosta até mais da mãe dele. A *mãe* dele.

– Você acha que devia beber isso aí?

– Acho.

Decidi esvaziar duma vez a garrafa de vodca.

– É que você já está um pouco...

– O quê? – tento fixar os olhos nela, mas vejo sua imagem dobrada e não consigo decidir qual das duas imagens focar.

– Alta.

– Não estou, não.

– Tudo bem. Então por que você fica esbarrando nas cercas?

– Não fico esbarrando, não.

– Fica, sim.

Caminhamos por um tempo, e eu me esforço em seguir em linha reta, mas, por algum motivo, a calçada se inclina toda hora e me derruba no jardim das casas.

– Estou fazendo isso de propósito – digo.

– Estou vendo.

– De qualquer forma, a vodca acabou – deixo a garrafa com todo cuidado ao pé de um poste. – Pronto, aí vai para você, amigo.

– Por que você está conversando com o poste?

– Não sei – dou risada sem parar.

– Ah, Pearl – ela diz. – Concentre-se em voltar para casa, tá? Antes que você caia no sono ou vomite.

– Estou ótima. De qualquer jeito, não é longe.

Minha voz soa alta e desagradável, então paro de falar. Continuo andando e andando. Andando e andando. Parece bem mais distante do que na ida. Está frio agora, e escuro também, só que nunca fica totalmente escuro com os postes de luz, os faróis dos carros e os ônibus passando com estrondo. Mas escuro o suficiente. Quero chegar logo em casa. Quero minha cama. Continuo com soluço, e isso realmente começa a me irritar. Por mais que eu me concentre em colocar um pé na frente do outro, estou sempre tombando para um lado, e o esforço para não cair me dá dor de cabeça.

– Você está bem? – pergunta mamãe.

Tento dizer sim, mas as palavras não saem.

– Está perto agora – ela diz. – Você consegue chegar.

Meus dentes estão tiritando muito e minhas pernas praticamente pararam de funcionar. Mas estou quase lá. Quase lá...

– Vou descansar só um pouquinho – murmuro.

Eu me deito na calçada. Sinto o chão áspero e frio no rosto. Tudo está girando como se eu estivesse num carrossel. Mas gosto de sentir a pedra fria contra o meu rosto. Impede que eu sinta enjoo. Oh. É, eu realmente estou com enjoo. Mas, se dormir, o enjoo vai passar...

– Não, Pearl, continue andando. Você está quase em casa. Não pode dormir aqui. Pense só como vai ser mais confortável na sua cama.

– Tá legal aqui.

Fecho os olhos e tudo começa a desaparecer.

– Não. Na verdade, não está – a voz de mamãe é eloquente, me despertando por um momento. – Imagine só, um travesseiro fofo. Uma bela casa com toda segurança. Ninguém mal-intencionado querendo abusar de uma adolescente que se entupiu de álcool. Vamos lá, Pearl. Você vai conseguir.

Tento levantar a cabeça, mas parece que alguém grudou minha cara na calçada com supercola.

– Está um pouco... – fecho os olhos. – É. Tá... tá bem. Obrigada.

– Não! Fique de olhos abertos.

Eu tento, mas me custa muito esforço. Tudo oscila e vai sumindo até restar somente escuridão.

Alguém está falando comigo. Mas parece distante e não consigo ouvir.

A seguir, um braço me rodeia a cintura e me levanta até eu ficar de pé.

– Não – tento dizer, mas só consigo dar um resmungo.

– Está tudo bem – diz a voz. – Apoie-se em mim.

É o que eu faço, e sinto firmeza.

– Tente andar um pouco. Eu ajudo.

Cambaleamos juntos por um pequeno trecho e dobramos a esquina. Sinto calafrios.

– Não – digo. – Você não é a mamãe. – Mas minha boca não me obedece; é como tentar falar num sonho. Sai tudo errado.

– Vou vomitar – digo.

– Tudo bem. Tente se inclinar sobre o ralo.

Inclino-me para a frente e fico com ânsia. Não há nada no meu estômago além do álcool e de um pouco de suco de maçã que tomei horas antes, mas meu corpo é sacudido por espasmos até eu colocar tudo para fora. Mãos afastam o cabelo do meu rosto. O líquido escorre pelo meu queixo. Eu me agacho, apoiando o quadril no chão, e o vento refresca meu rosto. Tudo começa a entrar em foco por um momento e depois se desvanece de novo.

– Vamos.

Os braços fortes me erguem outra vez.

– Está tudo bem. Não falta muito.

Alguém está chorando. Um choro alto, horrível, vazio.

– Está tudo bem, Pearl – a voz diz. – Não chore. Estamos quase em casa.

– Você não é a mamãe – tento dizer.

– Suba os degraus.

– Não consigo.

– Claro que consegue. Eu ajudo você... Pronto.

Depois há a soleira da porta, uma luz forte e a voz de papai, que diz:

– Meu Deus! Pearl! Jesus, ela está bem?

E depois...

Nada.

Estou na cama. Minha cabeça encosta em algo duro, que se revela uma bacia com vômito dentro. A luz do sol se escoa pelo vão das cortinas. Tento sentar, mas minha cabeça lateja tão forte que preciso deitar de novo, cobrir a cabeça com a coberta e fingir que morri.

– Não precisa dizer nada, Pearl. Sei exatamente como está se sentindo – a voz da mamãe soa meio abafada através do edredom. Além disso, parece indecentemente alegre para alguém que em teoria se preocupa com meu bem-estar.

– Não – falo com voz rouca, empurrando o edredom para poder vê-la. – Você não sabe.

– Ah, sei, sim. Tenho grande experiência nesses assuntos, pode acreditar – sentada na cama, ela me observa.

– Minha cabeça...

– Pois é. Sua cabeça. Parece que você acordou no meio de uma lobotomia, certo? Uma dor agonizante?

Ela olha para mim na expectativa, mas não consigo falar nem mexer a cabeça.

– Ou será um latejamento? E é como se alguém estivesse bombeando seu cérebro por dentro e ele fosse explodir a qualquer instante?

Tento fazer que sim com a cabeça.

– NÃO! – ela grita. – Desculpe – sussurra e dá um sorriso enquanto me encolho apertando os olhos. – Não mexa a cabeça em hipótese alguma. As consequências podem ser catastróficas.

– Eu sinto...

– Como se o quarto estivesse rodando? Ou talvez balançando? O enjoo aumentando?

– Não estava sentindo isso. Mas agora...

– Vai passar. Provavelmente. A melhor coisa é comer. Carboidratos complexos. Uma fritura seria perfeita se você aguentasse.

Agarro a bacia e vomito. Quando termino, eu me viro, as lágrimas quentes escorrem para dentro do ouvido.

– Ah, claro. Está com raiva de si mesma. Temperada com uma pitada de autocomiseração. É. A perfeita ressaca. Lembro bem. A agonia física e mental.

– Será que você pode... – emudeço. O esforço de falar é demais para mim. Fecho os olhos.

– Sim? Peça o que quiser, qualquer coisa, que eu faço para você.

– *Por favor.* Fique quieta.

E, para lhe fazer justiça, ela para de falar, mas não vai embora. Ainda posso sentir sua presença. Depois de um tempo, arrisca.

– Você parece chateada por ontem à noite.

Eu me dou conta de que não faço ideia de como cheguei em casa. A última coisa de que me lembro é ver Molly e Ravi na pista de dança enquanto eu saía tropeçando noite adentro. Depois disso, me dá um branco. Exceto que... agora que penso nisso, eu *lembro* alguma coisa. O som de alguém chorando... E vozes. Papai – será que era ele? Vovó? *Ela não para de chorar. Você entende o que está dizendo? Acho que é alguma coisa sobre a Stella. Pearl, vai ficar tudo bem, meu amor, nós estamos aqui...*

– Pearl? – diz mamãe.

– Você não ficou quieta – digo sem abrir os olhos.

Enquanto permaneço deitada, percebo que estou de camisola. Foi o papai que a vestiu em mim? Ou será que ele e a vovó tiveram de colocá-la? Imagino a cena. Ai, meu Deus. Estou para lá de envergonhada. *Estou arrasada.*

Viro para o lado e acho que adormeço porque, quando me dou conta, estou acordando de novo. Preciso muito ir ao banheiro, mas não tenho coragem de ficar na vertical de novo. Então continuo ali deitada, questionando se eu jamais voltarei a me sentir como uma pessoa de verdade, tentando organizar numa sequência coerente as recordações nebulosas da noite anterior.

Até que, finalmente, ouço a porta abrindo.

– Pearl?

É o papai.

– Hmmm – dou um grunhido debaixo do edredom.

Escuto quando ele se aproxima e deixa alguma coisa no criado-mudo.

– Trouxe água, vitamina C e analgésicos. Como você está? – pela voz dele, dá para perceber que ainda não decidiu se fica bravo comigo ou se fica com dó.

– Mal.

Ele senta na cama.

– Você teve muita sorte, Pearl. Se Finn não a tivesse encontrado...

– *Finn?*

– Ele viu você deitada na calçada, quase inconsciente. Não lembra?

– Não – ah, claro. Justo ele tinha de me ver. Eu sei que deveria ficar contente de não ter sido algum estuprador, assassino ou coisa que o valha, mas por que o Finn sempre tem de aparecer na pior hora? Não que me importe com o que ele pensa de mim. Óbvio. Mas é que eu não gostaria de criar fama de louca perigosa.

– Você podia ter ficado com hipotermia. Ou coisa pior. Algum delinquente podia tê-la encontrado. O que deu em você?

Não respondo.

– Estou preocupado com você, Pearl. E a vovó também. Você não procura mais seus amigos. Está magra demais. É evidente que está muito infeliz...

– Estou bem.

– Ontem à noite você falou sobre a mamãe...

– Papai, não comece.

– Eu gostaria que tivesse conversado comigo sobre ela quando você estava sóbria – ele diz. – Você sabe que pode conversar comigo.

Cerro as pálpebras e tento fingir que ele não está ali.

— Ou, se não se sentir à vontade para conversar comigo... – faz uma pausa. – Um profissional...

— Você quer que eu faça terapia? – grasno. – Papai, eu fiquei bêbada. Mais nada. Não se preocupe. Do jeito como estou me sentindo hoje, não vou deixar que isso se repita tão cedo.

— Pense bem, Pearl – ele vai até a porta. – Ah, e hoje de manhã fui agradecer ao Finn. Que rapaz mais simpático. Vem aqui na próxima semana para pintar a cozinha e fazer alguns reparos. Você sabe como a vovó fica me azucrinando para ajeitar um pouco a casa.

Ah, *perfeito*.

— Ele pareceu bem animado quando sugeri isso – diz papai. – Imagino que esteja precisando de dinheiro. Vai começar a faculdade de música no mês que vem. Parece que é muito talentoso. Toca violino.

— Violoncelo – tento dizer, mas tudo o que sai da minha boca é um gemido de desespero.

* * *

Bem mais tarde, depois de outro sono prolongado, consigo cambalear para fora da cama e desço à cozinha. Desci apenas para beber mais água, mas a vovó insiste em me empurrar comida e fica arriscando sugestões – *bolo de linguiça? macarrão com queijo?* – que só me dão vontade de vomitar de novo. No fim, ela se contenta em me dar um chá açucarado e um sermão. Estou fraca demais para discutir e fico sentada ali, inerte, olhando a vovó levar colheradas de uma gororoba cor de laranja à boca do Rato, que está no cadeirão.

Noto então que o bebê está bem diferente, gorduchinho, mais contente, como se tivesse crescido e adquirido sua própria forma. A vovó não para de falar em como estão preocupados comigo, que o papai já tem muito com que se preocupar sem mim, como querem me ajudar, mas não podem fazer nada se eu não me ajudar, e tudo isso se alternando com a parte do "Aí vai o aviãozinho" para o Rato.

Mas só consigo pensar em como o Rato está ficando mais parecida com uma pessoa, mais real e sólida, enquanto eu fico cada vez menos. Eu recordo a garota fantasma na janela e meu momento de confusão sem saber qual de nós duas era real. Eu me sinto como se estivesse, de algum modo, sumindo pelas beiradas, a pessoa que eu fui se desvanecendo até o dia em que eu acordar e descobrir que ela desapareceu completamente.

Decido que preciso mesmo voltar ao quarto e dormir. Provavelmente, é só a ressaca que me faz sentir assim. Mas, enquanto tento reunir forças para levantar, a campainha toca.

– Ah, ótimo – diz vovó. – É a Molly.

– *Quem?* – ela é a última pessoa que quero ver.

– Sim, ela ligou preocupada faz um tempo. Eu disse que você tinha chegado bem em casa, mas tinha certeza de que ficaria contente de vê-la.

Ela me dá uma Olhada daquelas e, antes que eu possa protestar, o papai atende à porta, e Molly aparece na cozinha.

– Oi – ela diz. – Fiquei tão preocupada depois que você sumiu ontem à noite. Vim ver se estava bem.

– Estou bem – digo, sentindo-me com duzentos anos de idade. Molly tem uma aparência perfeita e viçosa.

– Ótimo. Que alívio – ela olha para o Rato. – Oi, Rose – diz, sorrindo, e o Rato lhe acena entusiasticamente com a colher.

– Venha – digo, ansiosa para afastá-la do Rato. – Vamos subir.

Quando chegamos ao quarto, ficamos sentadas ali em silêncio, constrangidas.

– Você está bem mesmo? – ela diz. – Ficou brava comigo?

Eu a encaro.

– Por que você não me contou que seus pais tinham se separado?

– Não quis que você se preocupasse – ela diz, forçando um sorriso. – Tenho certeza de que o papai e a mamãe vão se entender. É apenas uma situação temporária. O papai só precisava de espaço, nada mais. Só precisava pôr a cabeça no lugar. Você sabe como é a situação no nosso apartamento, com os meninos e o maldito cachorro; é para deixar qualquer um maluco. E a mamãe tem trabalhado muito à noite, o que também não ajuda.

– Mas você não me contou nada. Contou ao Ravi.

– Você já tinha muito com o que se preocupar, e eu me senti mal de reclamar dos meus problemas. E... – ela se interrompe.

– O quê?

– Não tem importância.

– Tem, sim.

Molly hesita.

– Você não quis conversar comigo. Nem sobre sua mãe nem sobre a Rose. Achei que... Bom, a gente sempre conversou sobre tudo, não é?

Penso em todas as coisas que compartilhamos ao longo dos anos: piadas bobas, segredos embaraçosos.

Ela respira fundo.

– Só acho que, se eu soubesse dizer ou fazer a coisa certa, ou se pudesse ser uma amiga melhor, você conseguiria se abrir comigo – as palavras jorram de sua boca. – Tentei lhe dar apoio e espaço. Sei que falo demais e às vezes digo a coisa errada sem querer. Gostaria de ajudar. Sinto que falhei com você de alguma maneira, mas não sei como.

Desvio o olhar.

– Você não falhou.

Posso sentir o olhar dela fixo em mim.

– Eu lhe trouxe isto – ela me entrega um pacotinho embrulhado em papel de seda. – A mamãe e eu estávamos arrumando a casa outro dia e eu a encontrei. Achei que você gostaria de ficar com ela.

Desdobro o papel. É uma velha foto desbotada de Molly e eu quando tínhamos apenas cinco ou seis anos. Estamos de uniforme escolar no jardim da minha velha casa, abraçadas, mostrando as falhas nos dentes enquanto sorrimos.

Olho para o rosto apreensivo de Molly. Está mais bonita do que nunca e parece um pouco mais velha, mais madura. Difícil acreditar que um dia fomos as duas menininhas da foto. Eu queria tanto conseguir explicar a ela, desabafar tudo o que guardo dentro de mim para compartilhar e me livrar disso. Mas é só barulho; ou silêncio.

Seja lá o que for, não é algo que eu possa partilhar. Está lacrado e escondido, como quando a gente guarda uma coisa muito preciosa ou perigosa. Isso não deve ser exposto.

Balanço a cabeça.

Molly afasta uma lágrima do olho com as costas da mão ao puxar o cabelo para trás, esperando que eu não perceba. Aí se levanta.

– É melhor eu voltar – diz, com a voz embargada.

Depois que ela vai embora, olho para a foto por mais um tempo, e lágrimas silenciosas correm pelo meu rosto. Então a embrulho de novo e guardo onde não possa vê-la.

– Pearl – vovó chama lá de cima. – Você me traz as toalhinhas higiênicas, por favor, meu bem? – Acho que as deixei separadas na cozinha.

Sei exatamente o que ela pretende. Finn está pintando a cozinha, e a vovó quer criar situações para a gente conversar.

– Você pode pegá-las – respondo.

– Estou trocando a fralda da Rose.

– Será que o papai não pode pegá-las?

– Ele está no jardim.

Suspiro. Finn começou a trabalhar aqui ontem e, até agora, eu havia conseguido evitá-lo brilhantemente. Sei que deveria lhe agradecer por me trazer para casa depois da festa, mas me sinto humilhada só de pensar nisso. Levanto do sofá e me arrasto até a cozinha, mantendo a cabeça baixa e esperando que ele esteja ocupado demais para reparar em mim.

– Oi – ele diz do alto de uma escada.

– Oi – murmuro, tentando não pensar que, da última vez que ele me viu, eu estava tão bêbada que não conseguia nem andar. Agarro as toalhinhas e me afasto em direção à porta.

No último minuto, eu me viro, vencida pela minha consciência.

– Obrigada por me trazer em segurança para casa. Isto é, antes – sinto que estou enrubescendo.

– Tudo bem – diz ele. Coloca o rolo na bandeja de tinta e dá um sorriso largo. – Como estava sua cabeça no dia seguinte?

Eu lhe devolvo um meio sorriso.

– Não estava lá essas coisas.

Ele desce da escada.

– Você parecia... chateada – arrisca. – Bem chateada. Lembra?

Balanço a cabeça numa negativa.

– Logo mais você vai para a faculdade de música, não é? – digo, para mudar de assunto. – Ouvi você tocando na casa da Dulcie. Muito bonito.

– Obrigado – ele diz, envergonhado. – É, vou para a faculdade na próxima semana.

– Os estudantes não costumam viajar de mochila para a Índia no verão ou algo assim? Como é que você veio parar aqui?

– Não tenho dinheiro para viajar de mochila pela Índia. Minha avó não estava muito bem e precisava de ajuda na manutenção da casa e do jardim. Perguntou se eu não queria passar um tempo aqui e ela me pagaria pelo trabalho. De qualquer jeito, é melhor do que ficar em casa.

– Por quê?

– Meus pais têm uma pousada no meio do nada. Se eu ficasse em casa, passaria o verão fazendo as camas e limpando os banheiros. Achei que seria mais divertido ir para Londres.

– E foi?

– Bom, não conheço ninguém aqui e não tenho dinheiro para passear – diz, sorrindo. – Mas ainda é melhor do que limpar os banheiros lá em casa – faz uma pausa. – É uma pena que a gente não se conheceu antes.

Eu sorrio.

– Bom, você me conhece agora. Mais ou menos.

– Acho que sim – diz ele. – Mais ou menos.

– Aliás, você está com tinta no cabelo – digo com um sorriso, enquanto saio pela porta. Então levo as toalhinhas para a vovó.

– Por que está tão animada? – ela pergunta.

– Não estou animada.

– A cozinha ficou bonita, não ficou? – ela sorri de modo sugestivo.

– Não reparei – digo.

SETEMBRO

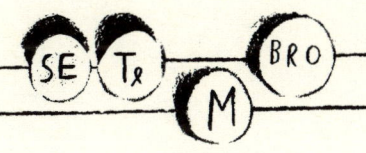

– Claro que tinha de ser o verão mais longo e mais quente de todos os tempos justo no ano em que estou morta demais para pegar um bronzeado.

No calor do sol, sinto um peso nas pernas e nos braços. Não tenho energia para sentar e me limito a virar a cabeça, apertando os olhos na direção da sombra da árvore onde mamãe está sentada.

– Ah, me poupe – digo. – Isso é tão... *britânico*.

– O quê?

– Ficar reclamando do tempo. Até no além-túmulo.

Ela me lança um olhar que, eu suponho, seja fulminante, mas, como está de óculos escuros, só vejo meu reflexo ali e o brilho do sol.

– Não estou reclamando. Foi apenas um comentário. E bem pertinente, na verdade.

– Não foi apenas um comentário, não. Você está reclamando do tempo. Depois vai reclamar do atraso dos ônibus e de como ninguém sabe fazer fila... no paraíso. Ou... em qualquer outro lugar – me viro de lado para olhá-la, me apoiando no cotovelo. – Seja lá para onde você vai.

Ele me encara por cima da armação dos óculos.

– E, só por curiosidade, você acha que as pessoas fariam fila exatamente para quê no paraíso, Pearl?

– Ah, então o paraíso existe mesmo – digo, triunfante.

– Não foi o que eu disse.

– Então não existe?

– Também não foi o que eu disse. De qualquer modo, você não deveria estar estudando?

– Não.

Acontece que estou perdendo uma consulta com a orientadora da escola. Eu quase fui só para me livrar do papai, da vovó e do colégio. Mas aí, quando eu estava no corredor, não me pareceu uma ideia tão boa. Estava um dia lindo, e tive o pressentimento de que, se eu fosse ao parque e me deitasse ao sol, mamãe apareceria.

– Agora que estamos no ensino médio, tudo mudou – digo. – Temos muito tempo livre e tudo o mais.

– Entendi.

Não resisto e me deito ao sol. A grama está refrescante e faz cócegas no meu pescoço. Fecho os olhos, sentindo o calor nas pálpebras e nas faces. Aí rolo de novo para o lado e me apoio no cotovelo para olhar mamãe.

– Então, sobre o paraíso – começo.

Mamãe estala a língua em desaprovação.

– Pearl, eu já disse que não vou falar sobre isso.

– Não estou perguntando como é lá. Só quero saber se existe mesmo.

– Tudo bem. Mas não pergunte para mim. Pergunte ao Padre Não-sei-das-quantas que celebrou o meu funeral. Pergunte ao Stephen Hawking. Depois tire suas próprias conclusões.

– O que eu quero dizer é que não deve ter um monte de anjos, harpas, nuvens fofas e todo aquele negócio...

– Lá-lá-lá-lá – ela tapa os ouvidos com os dedos. – Não estou escutando você.

– Mas, se não for assim – insisto –, então como é?

Tento parecer casual, como se estivesse só conjecturando, mas eu a observo atentamente para ver se sua reação revela alguma coisa. Ela gesticula, irritada, para afastar uma mosca que ronda seu nariz.

– E *onde* fica? – indago. – Quer dizer, não deve ficar lá em cima no céu. Óbvio. Ou fica?

Mas ela não responde.

– Fica lá?

– Sim.

– Sim o quê?

– Sim. Você está certíssima. Tem um grande jardim encantado no céu com anjos, arcos-íris e malditos unicórnios brincalhões. Nós saltitamos de mãos dadas cantando o dia inteiro. Satisfeita?

– Também não precisa falar desse jeito.

– Preciso, sim – ela diz, contundente. – Você não deveria perder tempo se preocupando com o que vai acontecer depois que morrer. É inútil. Pense no que está acontecendo agora. Na sua vida. É isso que importa. Então vamos mudar de assunto, tá?

— Tá — digo, aborrecida. — Tenho um assunto interessante para a gente conversar.

— Pode falar. Sou toda ouvidos.

— James. Me fale dele.

Ela senta bruscamente e empurra os óculos escuros para o alto da cabeça.

— O quê?

— James. Sullivan. Meu pai.

Mamãe me encara.

— Sim, Pearl. Sei bem quem ele é.

— Bom, então comece — digo, encarando-a de volta. — Fale dele.

Ela balança a cabeça, confusa.

— Por que esse assunto agora?

— Por nada. Estou apenas interessada. Tenho todo o direito. Afinal, ele é meu pai. Você sempre disse que eu poderia falar com você se quisesse saber mais sobre dele. Então estou falando agora.

— Mas por que agora? É o pior momento possível para você tocar nesse assunto.

— Por quê?

— Bem, para começar, você já se perguntou como o papai se sentiria? Ele já tem tormentos demais sem você remexer nisso para complicar as coisas. Ele vai ficar magoado, Pearl. Precisa de você neste momento. Ele já me perdeu. Vai achar que está perdendo você também.

— Bom, isso é problema dele — replico.

— O que você disse?

Mamãe parece tão furiosa que volto um pouco atrás.

– O que eu quis dizer é que não é nada tão importante. E papai tem o bebê agora, não é? Ele provavelmente nem vai ligar muito.

Ela me fita como se não acreditasse no que estou dizendo.

– É ridículo, Pearl, e você sabe muito bem disso. Você está sendo infantil e egoísta – mamãe baixa os óculos escuros sobre os olhos e deita. – Não vou discutir esse assunto com você.

– Então é assim, é?

– É.

– Tudo bem – digo. – Vou descobrir sozinha. Não preciso da sua ajuda.

Levanto desajeitadamente e me afasto, deixando-a deitada na grama.

Vou direto para casa, imaginando que desculpa vou dar à vovó para justificar que voltei mais cedo. Mas, quando chego, ela saiu com o Rato. A casa está vazia. Subo para o quarto e abro a gaveta da mesinha de cabeceira. Lá estão as fotos de passaporte de mamãe e James. Por onde ele andará agora? Onde mora? Mamãe por acaso sabe? Talvez tenham perdido contato. Mas não pode ser. Mamãe disse que, se um dia eu quisesse entrar em contato com ele, nós conversaríamos sobre isso. Deve ter guardado o endereço dele em algum lugar. Só que não achei nada na caixa. Aí tenho uma ideia. O computador da mamãe continua na escrivaninha no quarto da vovó.

Eu me enfio lá, atenta ao som da porta da frente, e digo a mim mesma que não estou fazendo nada de errado.

Ligo o computador e encontro a lista de contatos dela. *Sim!* Há um James Sullivan. Ele mora em Hastings – não fica perto do litoral? –, se esse ainda for o seu endereço atual. Anoto e desligo o computador.

Eu estava certa. Não preciso da ajuda da mamãe. Posso encontrá-lo sozinha se quiser.

– Pare de ficar encarando o rapaz feito boba e vá levar uma xícara de chá para ele – diz vovó.

Estou lavando louça na cozinha e, por mais que eu tente evitar, quando percebo meu olhar volta para Finn. Ele está trabalhando no jardim, os cabelos escuros despontando por baixo de um chapéu de feltro gasto. A camiseta se cola às suas costas e, enquanto ele escava a terra, vejo os músculos de seus ombros se movendo debaixo do tecido. Baixo o rosto depressa para o prato que estou ensaboando, o enxaguo e coloco cuidadosamente no escorredor. Mas meus olhos vagueiam de novo até o jardim. Até ele. Até os cachos que pendem em seu pescoço e o ritmo vagaroso de seus movimentos enquanto revolve o solo com a pá.

Finn já terminou de pintar a cozinha. Ela não está mais escura e sombreada, ficou clara e arejada, e ele podou todas as glicínias que cobriam as portas e a janela do pátio, de modo que o sol agora penetra na cozinha. Papai o convenceu a cuidar do jardim também antes de ir embora. Dulcie nos deu um monte de sementes, bulbos e mudas de seu jardim, e Finn plantará uma parte antes de sua partida amanhã.

Enquanto o observo, ele se vira na direção da casa, como se pudesse sentir meu olhar. Não acena, se limita a balançar a cabeça e continua o trabalho. Pego outro prato depressa e o mergulho na água cheia de bolhas, sentindo, como sempre, que ele me apanhou em flagrante.

– Não estou encarando – digo à vovó. – Estou em frente à janela, e Finn por acaso está do outro lado dela. É impossível não vê-lo. A menos que você queira que eu lave a louça de olhos vendados.

– Acho que você está justificando demais – vovó sorri, maliciosa. – Leve um chá para ele e pronto, tá?

Finn está totalmente absorto em sua tarefa, sem prestar atenção em mim.

– Eu trouxe chá para você – digo, corando.

– Ah – ele pega a xícara. – Obrigado.

Espero que diga mais alguma coisa, mas permanece quieto. Bebe um gole, deixa a xícara no chão e continua a trabalhar, pegando um ancinho encostado à parede e traçando uma linha na terra com ele.

– O que você está fazendo? – pergunto.

– É um sulco – explica, como se falasse com uma criancinha, e aponta para a depressão no solo. – É onde vou plantar as sementes. Eu costumava fazer isso com a vovó quando era criança.

Ele abre um saquinho de sementes, despeja algumas na palma da mão e, com a mão livre, vai pegando punhadinhos e os espalha na terra.

– Parecia sempre uma mágica quando eu era pequeno – diz. – A gente enterrava essas sementinhas no solo.

Aí, nas férias seguintes, eu voltava e... – ele mostra um pacote com a foto de um monte de flores vermelhas e cor de laranja.

Olho de novo para as sementes secas e acinzentadas, depois para a terra preta e outra vez para as flores vibrantes da foto.

– Ainda parece mágica para mim – sorrio para ele. – Você é o mágico.

Quando estou voltando para a casa, ele me chama.

– Você não... – e se interrompe.

– O que foi? – digo, me virando.

Ele evita me encarar.

– Você não quer sair mais tarde, quer? É minha última noite aqui.

– Ah – digo. – Não. Eu não posso. Desculpe – as palavras se adiantam antes que eu possa contê-las.

Ele parece confuso e um pouco envergonhado.

– Ah, certo. Tudo bem. Eu só achei que não custava perguntar.

– Desculpe – repito, me virando e corro para dentro de casa com o rosto em fogo.

Na cozinha, vovó parece satisfeita. Sei que estava me observando.

– O que foi? – digo afinal, sem prestar muita atenção nela. Ainda estou pensando em Finn.

– Ah, nada – ela diz, o que significa exatamente o contrário. Sorri para mim com ar cúmplice. – Ele é um rapaz encantador, não é?

– Se é o que você acha – digo, me servindo de um copo d'água.

– E foi admitido numa das melhores escolas de música do país, conforme seu pai contou – grita para mim, enquanto leva o lixo para fora. – Toca violoncelo.

– Ah, *bom* – digo, fazendo uma careta para o Rato, que está em sua cadeirinha mordiscando o próprio punho. – Ele *tem de* ser legal então.

O Rato balbucia.

E aí sorri para mim.

Ela sorri. Para mim. Todo o seu rosto se transforma. Ela parece uma pessoa. Está feliz.

Feliz de me ver.

Fico de pé olhando para ela. Sinto como se algo me comprimisse o peito. Não consigo respirar.

– Pare com isso.

Quero gritar com ela, mas minha voz sai num sussurro.

– Pare com isso.

E o copo esquecido na minha mão escorrega para o piso de pedra e se espatifa. O estalido a assusta, e ela começa a chorar. Vejo o sorriso desaparecer, o rostinho dela vermelho e franzido. Eu me ajoelho para apanhar os cacos de vidro. Minhas mãos tremem.

Coloco os estilhaços em um jornal sobre a mesa e um fio de sangue pinga. Nisso, noto como minha mão arde. Quando a abro, está toda ensanguentada.

Papai vem me ver quando volta do trabalho. É tarde e já estou na cama.

– A vovó contou que você fez um corte feio na mão – diz, ansioso. – Ela disse que você deveria ter ido ao hospital para receber pontos.

– Está tudo bem – digo, e aceno com a mão enfaixada. – É exagero dela, como sempre.

Papai senta na cama e me fita.

– O que foi?

Ele faz uma pausa, pouco à vontade.

– Foi um acidente, não foi?

Lembro que, quando a vovó lavou o corte numa bacia de água fervente, o sangue brotou da minha mão como uma flor exótica.

– Como assim? Você acha que fiz de propósito?

– Você fez?

– Não. Claro que não. Foi um acidente.

Ele me perscruta, a luz revelando sombras sob seus olhos, que lhe confere um aspecto cansado.

– Tudo bem – ele me dá um beijo no topo da cabeça.

Depois que ele sai, me pego pensando em como fiquei chateada quando era criança e papai gritou comigo porque eu havia corrido para o meio da rua. Não sabia se estava chorando de medo do carro ou dos gritos do papai, ou se era porque eu sabia que o tinha chateado. Ele me abraçou com tanta força que chegou a doer, mas não me importei. Eu me senti segura. *Prometa que nunca, nunca mais vai fazer isso,* ele disse. *O que eu faria sem a minha Pearl?*

No quarto ao lado, o Rato se põe a chorar. Escuto quando papai vai lá confortá-la. Tudo fica silencioso e, após um tempo, ele canta baixinho para que ela volte a dormir.

Por que ele precisava estragar tudo? Por que precisava de um bebê? Ele tinha a mim. Por que isso não bastava?

Apago a luz e deito no escuro. Quero dormir, mas quando percebo estou pensando em Finn. Por que eu disse não? Amanhã ele vai embora e provavelmente nunca o verei de novo.

Não que isso tenha importância. Não que alguma coisa tenha importância.

Aperto delicadamente o branco da bandagem e a dor faz meus ouvidos zunirem.

OUTUBRO

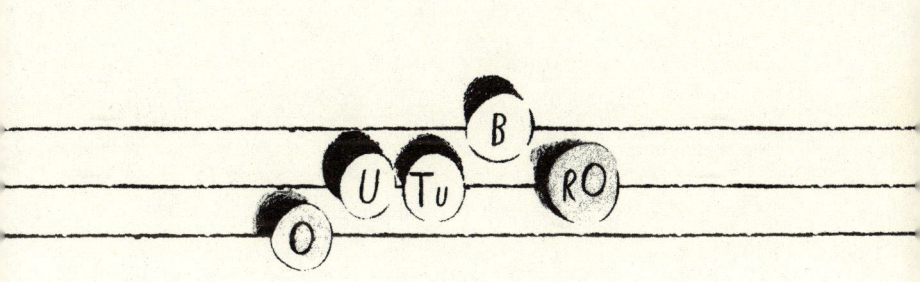

– Pearl, posso dar uma palavrinha antes de você ir embora?

A sra. S. sorri para mim enquanto Molly e os outros alunos saem em fila da sala, e eu tento sorrir de volta. Acho que sei o assunto que ela quer falar comigo.

– Fico muito feliz que você tenha resolvido continuar os estudos de inglês – ela diz. – O que está achando do curso?

– Bom – digo.

– E como vão as coisas em casa? Sua irmãzinha está bem?

– Sim.

– E você? Como está, Pearl?

– Bem – digo.

– Tem certeza?

– Claro.

– É que você já faltou a algumas aulas. E retomamos as aulas faz poucas semanas. Você está com algum problema?

– Não – digo, pensando rápido. – Desculpe. Precisei ajudar a tomar conta do bebê.

– Mas seu pai disse que ela agora fica aos cuidados da sua avó.

– Fica, sim – digo. – Mas ela é muito velha e está sobrecarregada.

Faço força para não sorrir quando imagino a cara da vovó se ela me ouvisse.

– Entendo – diz a sra. S. – Mesmo assim, é importante não perder as aulas, Pearl. Você não pode ficar para trás.

– Eu sei – digo.

– Você acha que está conseguindo acompanhar?

– Acho.

Ela me lança um olhar penetrante. O sr. S. costumava dizer: *É preciso acordar cedíssimo para conseguir enganar minha esposa. Pode acreditar, eu sei o que estou dizendo.*

– Bom, você sabe onde me encontrar se quiser conversar – ela diz.

– É melhor eu ir para minha próxima aula.

Molly me espera no corredor e está pálida. Anda muito triste desde que Ravi foi para a universidade há duas semanas.

– O que ela queria? – pergunta enquanto descemos as escadas.

– Ah, sabe como é. Estava só perguntando por que faltei às aulas.

– O que você respondeu?

– Eu disse que estava tomando conta do bebê.

– Mas você não toma conta dele, não é?

Eu a olho, surpresa. Essa é a desculpa que sempre uso com a Molly. Não fazia ideia de que ela havia percebido. Eu me pergunto há quanto tempo sabe que venho mentindo a ela. Desde a volta às aulas? Desde a morte da mamãe?

– Claro que sim. Por que eu mentiria? – digo.

Ela me fita.

– Não sei. Como posso saber? Você nunca conversa comigo.

Sua voz falha um pouco. Depois ela se afasta, me deixando ali sozinha.

É recesso escolar e a vovó está me fazendo cuidar do Rato pela manhã enquanto ela vai ao dentista.

– Se você pretende ficar em casa de bobeira, então faça algo útil – ela disse num tom enérgico. – Estou com esta dor de dente horrorosa faz semanas. Vou me ausentar só por uma ou duas horas.

Eu resmungo, mas não é tão ruim. O Rato já não chora tanto. Ainda não está engatinhando, então eu a coloco sentada na esteira, escorada numa almofada e cercada pelos zilhões de brinquedos que a vovó lhe comprou, e ela se mantém ocupada enquanto eu tento ler uma revista. Mas sempre acabo me distraindo com o que ela faz: conversa consigo mesma, dá gritinhos entusiasmados e risadinhas quando pega os brinquedos, mastiga-os e bate um no outro. Ela mudou muito.

Eu me afasto dela e vou até a grande janela hexagonal. As nuvens estão baixas no céu e o vento sopra nas folhas das árvores, fazendo as vidraças da janela trepidarem. Estremeço. Aí noto: um cartaz de VENDE-SE na casa de Dulcie. Eu o olho fixamente e lembro como ela foi gentil comigo no verão. Mal a vi depois disso. Papai diz que a saúde dela não anda boa. Não verei mais Finn se ela se mudar daqui. Afasto esse pensamento. Que importância tem?

Penso nele escavando nosso jardim, nas sementes e nas flores brilhantes na foto do saquinho. As cores parecem impossíveis em um dia cinzento como hoje. O que será que ele está fazendo agora?

Talvez eu vá visitar Dulcie. Levarei o Rato comigo; ela vai gostar. Eu a pego na esteira e a enfio em seu casaquinho.

Quando Dulcie abre a porta, fico chocada ao constatar como está magra e abatida, sua pele parece quase transparente. Mas sorri quando me vê, e seus olhos estão mais vivos e azuis do que nunca.

– Pearl! – exclama. – E a pequena Rose também. Que surpresa agradável.

Dulcie nos convida a entrar, e eu preparo chá enquanto ela brinca com o Rato no colo.

– Você vai se mudar – digo.

– Sim. Receio que isso acabaria acontecendo mesmo. Não estou muito bem, e a casa é grande demais para eu cuidar. Vou para um asilo depois do Natal.

– Sinto muito.

Ela dá um sorriso triste.

– Eu também.

– E o Finn, como vai? – pergunto, tentando parecer casual.

– Ah, bem – ela diz. – Está aproveitando bastante.

Procuro sorrir.

– Que ótimo.

Faço uma pausa, esperando que ela diga que Finn virá visitá-la em breve ou que perguntou de mim, mas Dulcie não diz nada.

Nós não ficamos lá muito tempo, pois percebo que ela está exausta.

– Rose está mesmo crescida – Dulcie diz quando me devolve o Rato à porta. – Ela se parece com você, sabe?

– Comigo?

– É – ela sorri. – Você não reparou?

– Não – digo.

– É a Molly no telefone – papai chama lá de baixo.

Estou surpresa. Pensei que ela visitaria Ravi durante o recesso escolar. Também achei que havia desistido de me ligar.

– Ela parece chateada – papai cochicha ao me passar o telefone.

– Você pode ir me encontrar no parque mais tarde?

– Ah – digo, pensando num pretexto. – Não sei se posso.

– Por favor, Pearl. Preciso falar com você.

Sinto o coração pesado. Mas ela parece desesperada e, de qualquer modo, a vovó fica dizendo que passo tempo demais sozinha no meu quarto. *Não está certo para uma menina da sua idade. Você deveria sair com amigos e se divertir. Não pode passar o dia todo largada sem fazer nada.* Pelo menos, assim a vovó me deixa em paz.

Molly está me esperando no portão do parque. Tem os olhos vermelhos e o rosto manchado, e não sorri quando me vê.

– Vamos beber alguma coisa? – digo.
Ela balança a cabeça.
– Prefiro dar uma volta.

Está esfriando e o sol já vai baixando no céu, enfiamos as mãos nos bolsos e andamos por um caminho cercado de árvores. Elas se erguem acima de montes de folhas vermelhas e cor de laranja, que se acendem como fogo à luz do sol poente. Nossas sombras se espicham, longas e magras, diante de nós.

Espero Molly dizer alguma coisa, mas ela permanece calada. Deve ser o Ravi. Deve ter dado o fora nela. Eu sei que não devia, mas fico contente com isso, não consigo evitar. Ele nunca prestou para a Molly. Nós duas descemos a colina e passamos pela área dos balanços, nosso hálito saindo pela boca como uma nuvem branca.

– Lembra que a gente costumava vir aqui quando era criança? – diz Molly, parando quando chegamos ao lago. – Papai e mamãe nos traziam aqui no domingo à tarde. Ou então nos levavam até o coreto e fazíamos um piquenique.

– Lembro, sim. No inverno a gente empinava pipa no Heath e depois ia ao pavilhão de chá tomar chocolate quente. Parece que faz tanto tempo, né?

Molly não responde. Quando viro para ela, há lágrimas em seus olhos.

– O que foi, Molls? – digo, tentando não parecer impaciente. – Por favor, não me diga que é o Ravi. Se ele arranjou outra pessoa, então não existe mesmo justiça neste mundo.

– Não! – ela parece chocada. – Ravi nunca faria isso.

E, no entanto, as lágrimas continuam.

– Ah, meu Deus – digo. – Você não está grávida, está?
– Não. Não é nada disso.
– O que foi então?
– É a mamãe e o papai – as palavras jorram. – Papai foi embora e não volta mais. Eles vão realmente se divorciar.
– Oh – não posso dizer que isso me surpreende.
– No fim das contas, o papai vem tendo um caso com uma mulher do escritório de Swindon. Dá para acreditar?
Dá, sim. Nunca gostei muito do pai da Molly. Um exibido que falava muito e fazia pouco, mamãe costumava dizer. E a mãe de Molly, uma mulher tão bacana, sempre cansada e estressada. Mas procuro demonstrar solidariedade. Molly acha que ele é perfeito. E, pelo menos desta vez, ela está contando a mim e não ao Ravi.
– Sinto muito – digo.
Caminhamos em silêncio.
– Simplesmente não consigo acreditar. No começo fiquei em choque. Agora não paro de chorar.
Olho para ela com irritação. Sei que está perturbada, mas não é nenhum fim do mundo.
– Talvez seja melhor assim – digo.
Molly para de andar e me fita, os olhos arregalados e confusos.
– O quê?
– Talvez isso tenha acontecido para o melhor.
Nunca vi Molly tão zangada. Na verdade, nunca a vi zangada. Mas certamente está agora.
– Como é que você pode dizer isso? – ela grita, e duas mães que empurram seus carrinhos de bebê à nossa frente viram-se com expressão de censura. – Minha mãe está

arrasada. Os meninos não conseguem dormir à noite. Eu estou tentando segurar as pontas.

– Só quis dizer que...

– Eu devia saber que você seria assim.

– Assim como?

Ela reflete, buscando as palavras certas.

– Fria. Nem sei por que ainda me surpreendo. Você ficou assim. É como se fosse outra pessoa, diferente da Pearl que eu conhecia – Molly balança a cabeça. – Você está tão distante. Nada atinge você, não é? Parece que não se importa com ninguém. Achei que, depois de tudo o que passou, você talvez fosse compreensiva. Achei que entenderia como me sinto...

E agora é a minha vez de perder a calma.

– Você jura que está comparando a morte da minha mãe à escapada do seu pai com uma vagabunda de Swindon?

– Não.

– Ótimo. Porque você nunca vai entender como eu me sinto.

– Não, acho que não vou entender mesmo. Todas as vezes que procurei saber ou quis ajudar, você me afastou. Nem reconheço mais você.

– Nunca mais vou ver minha mãe. Então, não espere que eu fique de coração partido só porque seu pai não resiste a um rabo de saia.

As mulheres com os carrinhos de bebê estalam a língua e balançam a cabeça, em reprovação.

Molly aproxima o rosto do meu. Está tremendo. Por um segundo, acho que vai me estapear.

— Pelo menos sua mãe não optou por abandonar você — sussurra, com lágrimas escorrendo pelo rosto.

Ela me dá as costas e se afasta no crepúsculo.

— Ravi tinha razão sobre você — grita por sobre o ombro.

— Por quê? O que ele disse? — pergunto.

Mas ela não responde.

* * *

Estou tão brava que fico caminhando e repassando a conversa na cabeça sem parar. Como é que ela se atreve? Como se *atreve*? Tremo de raiva e também de frio. O céu escurece à medida que o sol desaparece atrás das casas do outro lado do parque. Todo o mundo foi embora, mas continuo andando a esmo pelas trilhas e alamedas.

Por fim, me encontro de novo no playground. Está deserto agora. A luz diminuiu e ficou sombreada, e o vento está gelado. Não me importo. Sento em um balanço e dou impulso com o pé, deixando que o movimento me acalme. As correntes de metal congelam meus dedos. O frio arde e me faz bem.

Inclino a cabeça para trás enquanto me balanço, indo e vindo, indo e vindo, até ficar tonta. O céu já está coalhado de estrelas pálidas.

— Bom, isso é agradável.

Eu me assusto ao som de sua voz. É a mamãe, sentada no balanço mais distante do meu.

— Ah. Oi.

— Tudo bem?

A expressão de Molly, quando ela se afastou de mim, surge em minha cabeça.

– Claro que sim – digo. – Por que não estaria?

Olho para ela tentando adivinhar se acreditou, mas na escuridão crescente não consigo enxergar seu rosto.

– Ah, não sei, Pearl. Você está sozinha no playground das crianças no meio da noite...

Posso sentir que me olha e espera uma explicação, mas continuo a me balançar.

– Sem casaco...

– Não é o meio da noite.

– Mesmo assim, está fazendo menos trinta graus...

– Por que você sempre tem de exagerar? – digo, impaciente. – Sei que você acha isso engraçado, mas não é. É chato.

– Oh.

– E infantil.

Mamãe acende um cigarro. Não diz nada por uns instantes, e me pergunto se fui longe demais.

– Bom, esse é o meu jeito – diz por fim, o rosto ainda mascarado pelas sombras.

– Desculpe – digo. – Mas você sempre implica comigo.

– Será que não posso me preocupar com você?

– Você fica pegando no meu pé e fazendo perguntas.

– Eu sei que você me esconde o que está realmente acontecendo – ela diz, com tato. A precisão e o peso de suas palavras ocultam a emoção que há por trás delas, seja qual for. – Você nunca vai me contar a verdade.

Vejo a brasa do cigarro brilhar quando ela dá uma tragada.

Respiro fundo.

– Eu já disse. Não tem nada de errado.

Ficamos sentadas nos balanços em silêncio, sem nos olhar.

– Sei que você disse isso – ela fala por fim. – E sei que é mentira.

– Como você sabe?

– Sou sua mãe, Pearl.

Penso no assunto. É tão tentador contar a ela. Sobre Molly. Sobre todas as coisas. Papai, a escola e o Rato. A confusão em que tudo se transformou. Como minha vida ficou solitária, pequena e cinzenta sem ela.

– Bem, você se engana – digo. – Estou bem.

Fecho os olhos e sinto o frio nas pálpebras enquanto me balanço. Mamãe não diz nada.

Eu me inclino para trás de novo. As estrelas se nublam e sinto lágrimas quentes em meus olhos.

Endireito-me de repente e paro o balanço com o pé.

– Mamãe?

Mas, antes mesmo de olhar, sei que o balanço dela está vazio, ainda se movendo ligeiramente na noite fria.

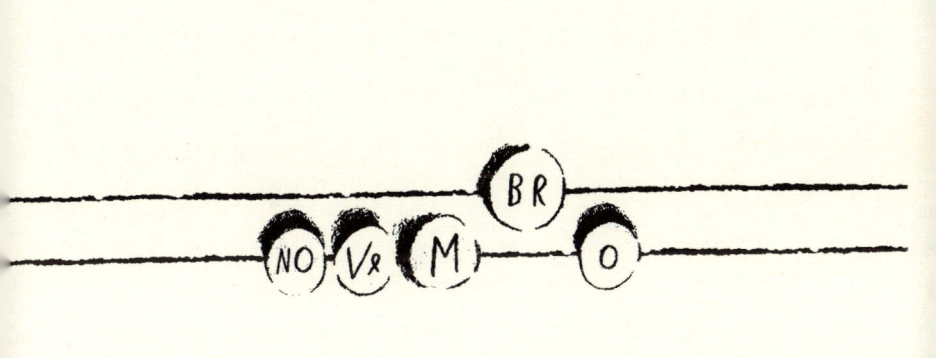

Olho o pedaço de papel com o número de telefone de James, e sinto um mal estar. Esperei até o domingo de manhã, quando o papai e a vovó saíram com o Rato. Foram encontrar um primo do papai que está passando o dia em Londres, então ficarão bastante tempo fora. Sem dúvida, o Rato vai ganhar um monte de bilu-bilu.

Desço e apanho o telefone. Aí volto, sento na minha cama e começo a discar. Meu dedo paira sobre o último número quando me imobilizo. O que direi se ele atender? Tento imaginar. *Alô, é James? Aqui quem fala é Pearl...* Ou devo dizer *sua filha Pearl* para ser clara? É improvável que ele conheça outra pessoa chamada Pearl, mas talvez seja melhor eu me certificar de que não haverá nenhum mal-entendido embaraçoso. E depois? Talvez, depois de ouvir a voz dele, eu saiba como continuar. Ou talvez ele fique tão contente com o meu contato que começará a falar. Vai ver que esperou eu ligar esse tempo todo e tem muitos anos de conversa para pôr em dia. Ou, quem sabe, pode ocorrer um desses silêncios constrangedores, quando ninguém sabe o que dizer, e, quanto mais o silêncio se prolonga, pior fica...

Jogo o telefone na cama. Sei que não vou conseguir falar com ele. Em vez disso, posso lhe escrever. Assim, tenho oportunidade de organizar as ideias, escrevê-las direito e parecer inteligente.

Vou até a janela e espio lá fora. O dia está sombrio, com o vento açoitando os galhos desnudos das árvores e penetrando pelas frestas das janelas. Os dois devem estar congelando em South Bank. Imagino a vovó tagarelando, enquanto seu cabelo impecável fica todo despenteado no vendaval, e sorrio.

Nisso, escuto a porta de Dulcie bater e vejo Finn avançando para a calçada. Desço as escadas correndo.

– Hector – chamo. – Vamos passear.

Ele vem trotando da cozinha. Eu o agarro, prendo a guia em sua coleira, visto o casaco e me precipito para a porta. Hector me acompanha, surpreso e encantado com o rumo dos acontecimentos. Quando alcançamos o portão, retardo o passo e finjo surpresa quando viramos na calçada e quase esbarro em Finn.

– Oh – digo. – Olá.

Ele me fita e noto a sombra de um sorriso – é um sorriso, não é?

– Oi – diz ele. – Tudo bem?

– Tudo – digo. Aí vejo que ele segura um buquê de flores e meu coração bate mais forte. Flores.

Ele está indo encontrar uma garota. Está levando flores para ela.

Bom, e se estiver? Não tenho nada a ver com isso. O país é livre. Por que eu me importaria? Hector puxa a guia e dá ganidos, louco para continuar o inesperado passeio.

– *Quieto*, Hector – eu me impaciento, ainda olhando as flores nas mãos de Finn, rosas de um vermelho intenso, tão vibrante que parecem impressas nos meus olhos e posso vê-las até quando pisco.

– São para minha avó – ele diz depressa, notando meu olhar. – Precisou ser internada de novo. Acabei de cortá-las de seu jardim. Achei que ficaria contente com elas.

– Ah, não – digo, procurando dissimular o alívio. – Coitada da Dulcie, ela está bem?

– Na verdade, não. Tem andado doente já faz um tempo e agora... – ele desvia o olhar. – Bom, melhorar é que ela não vai.

– Sinto muito – falo, inutilmente.

Ele faz que sim com a cabeça. – É melhor eu ir agora – diz. – Vou passar a noite na casa dela, então não se preocupe se vir as luzes acesas. A mamãe também virá mais tarde, logo que sair do trabalho. Ficaremos uns dias aqui para organizar tudo.

– Tudo bem. Diga à Dulcie que eu mandei um beijo, tá?

– Pode deixar.

– Ah – digo. – Acabei de me lembrar. Você não pode levar flores ao hospital.

– Por quê?

– Não é permitido. É alguma medida de higiene e segurança.

A vovó mandou um buquê enorme de flores para o Rato no começo da estada dela no hospital e o papai teve de trazê-lo para casa. Ficou ali no vestíbulo, embrulhado em celofane e papel de seda, até secar e escurecer, aí o papai o jogou fora.

– Ah, certo – ele parece tão desapontado que por um momento acho que vai chorar. – Fique com elas então – diz de repente, empurrando-as para mim.

Sinto que estou corando.

– Tem certeza?

– Fique com elas – diz, e então eu fico. – Até mais.

– Até.

Deixo que Hector me puxe para longe, com o nariz farejando o chão no rastro de uma coisa ou de outra. Provavelmente nunca mais verei Finn. *Que diferença faz?*, digo a mim mesma. *Que diferença qualquer coisa faz?*

Mas, no momento em que penso isso, dou meia-volta e arrasto um relutante Hector atrás de mim. Finn está atravessando a rua.

– Esta noite tem queima de fogos no Heath – posso sentir o rosto pegando fogo enquanto as palavras saem da minha boca. – Quer ir?

Finn parece surpreso e, por um momento, acho que recusará. Então ele sorri.

– Claro – responde.

Eu me viro e dou um sorriso. Hector me observa na expectativa.

– Vamos lá então – digo. – Podemos dar uma volta já que estamos aqui mesmo.

O vento nos alfineta enquanto andamos pela rua, mas não ligo.

Quando conto que vou sair com Finn, a vovó logo supera seu mau humor por eu ter me recusado a congelar até a morte com eles à margem do Tâmisa. Ela passou a semana toda reclamando dos fogos de artifício devido ao efeito inconveniente que têm sobre Hector. Mas agora, de repente, não lhe parecem mais tão inconvenientes.

– Mas você não pode sair assim – ela diz quando desço de jeans e parca.

– Vamos assistir à queima de fogos – digo. – O que você quer que eu use? Um minivestido preto e salto-agulha?

Ela balança a cabeça em desespero.

– Me deixe pelo menos maquiar você.

– Não é um encontro romântico – digo.

– Claro que não.

Vovó tem um ar tão presunçoso que só para provocá-la eu coloco o gorro de lã com pompom do West Ham do papai. Eu o tiro ao sair.

Está gelado no Heath, e a multidão se enrola em cachecóis e gorros, acenando com gravetos e velas faiscantes. Eu fiquei nervosa de encontrar Finn, e no começo é um pouco constrangedor, mas após alguns minutos fica tudo bem. Nós exclamamos *ooh!* e *aah!* ao ver os fogos: flores incandescentes desabrochando no céu límpido. Parece mágica. Eu me sinto criança de novo, arrebatada pelo momento.

– Você parece feliz. Nunca a vi assim – ele diz afinal. E percebo que esteve olhando para mim, não para os fogos de artifício.

– Estou feliz – digo e, quando Finn segura minha mão, eu correspondo.

Não falamos muito no caminho de volta. À medida que a multidão se dispersa, Finn parece absorto em pensamentos, e andamos em silêncio, mas não é constrangedor agora. É confortável. Percebo que ainda estou sorrindo. Quando olho para Finn, no entanto, ele não sorri.

– Você está pensando em Dulcie?

– Sim – diz, surpreso. – Como é que você sabe?

– Você parece triste.

– Desculpe.

– Não precisa se desculpar.

Ele afasta o cabelo dos olhos.

– É duro ver uma pessoa que você ama envelhecendo.

– É duro não ter oportunidade de vê-la envelhecer.

– Eu sei – ele diz apertando minha mão.

Quando passamos pelo estande de comida, o cheiro de batata frita e vinagre se espalha pelo ar frio.

– Vamos comer alguma coisa? – pergunta Finn. – Estou morrendo de fome.

E, para minha surpresa, eu também estou. Dividimos um saco de batata frita.

Quando chegamos em casa, paramos debaixo de um poste e ficamos banhados em luz dourada e rodeados pela escuridão.

– Obrigada – digo. – Eu tinha esquecido o que era me sentir feliz.

Ele delicadamente afasta o cabelo do meu rosto para me enxergar melhor.

– A primeira vez que nós nos vimos – diz –, e você gritou comigo do outro lado do muro...

– Sim? – ainda enrubesço só de lembrar.

– Você estava falando com a sua mãe, não é?
Eu hesito.
– Sim.
Ele me olha dentro dos olhos e, por um instante, é como se olhasse dentro de mim, onde ninguém enxerga, e fico sem fôlego.
E então ele me beija.
E o mundo desliza para longe e não há mais nada, nada além de nós dois, os lábios dele nos meus, sua mão no meu pescoço, o calor dele contra o meu corpo, e eu retribuo o beijo...
– Não! – eu recuo.
– O que foi?
– Preciso ir – digo. – Preciso ir.
E corro para casa.
– Pearl! – ele chama, mas não olho para trás.
Tiro a chave do bolso e depois bato a porta às minhas costas.
Aí me encosto nela, respirando com dificuldade no escuro, e me dou conta de que estou chorando.
Ouve-se um barulho lá em cima e a luz se acende no patamar da escada.
– Pearl, é você?
Vovó surge no topo da escada. Veste sua camisola chinesa de seda bordada ao estilo de estrela de cinema dos anos 1920, com o rosto e o pescoço lambuzados de creme branco.
– Estava indo deitar e ouvi a porta bater – quando se aproxima, percebe que estou chorando. – O que aconteceu, meu bem? Vocês brigaram? Por acaso o Finn...

Ela deixa que minha imaginação complete o que ele pode ter feito.

– Não. Não foi nada disso – tento enxugar as lágrimas com a manga da roupa.

– Então o que foi? Ele obviamente fez alguma coisa que chateou você...

– Não – digo.

– Então qual é o problema?

– Nada. Nada mesmo.

Ela me encara, franze o cenho e segura minha mão.

– Ah, Pearl – diz. – Você tem o direito de ser feliz. Está tudo bem.

– Não – balanço a cabeça. – Não está.

Empurro a mão dela e subo as escadas correndo.

Entro no banheiro e molho o rosto com água fria. Aí me olho no espelho. Pareço cansada, pálida e magra, com marcas sob os olhos. Mas continuo a mesma pessoa de antes de a mamãe morrer. Isso não está certo. Tenho de parecer diferente, passar por uma mudança radical. Puxo meu cabelo para trás, como fez o Finn. O que ele viu quando me olhou? Viu uma pessoa bonita?

O rosto de mamãe surge atrás de mim no espelho.

– Mas você é bonita – ela diz. – Por favor, Pearl, a vovó tem razão. Eu quero que você seja feliz.

– Você não pode fazer nada – sussurro.

Tem uma tesoura ali ao lado e, sem pensar, eu a apanho e começo a cortar o cabelo. As mechas são compridas e grossas, por isso demora um bom tempo. Quando termino, olho para mim, e a pessoa que vejo se parece mais com o jeito como me sinto por dentro.

– Pronto – digo, me virando para mamãe. – Agora já não estou tão bonita.

Mas ela não está lá.

– Pearl. Vamos entrando, vamos entrando.

A srta. Lomax me dirige um sorriso confiante ao me conduzir para sua sala.

– Sente-se. Estou tomando um café. Você aceita?

– Não.

– Quer uma bolacha? Sobraram algumas de uma reunião muito entediante da qual acabei de sair.

Balanço a cabeça num gesto negativo. Presumivelmente, essa rotina deve me deixar à vontade. Ela está fingindo que nós vamos ter uma Conversa Agradável.

Eu me aboleto na borda da cadeira.

– Então, Pearl – ela toma um gole de café e sorri compreensiva. – Como você está?

Encolho os ombros.

– De verdade – ela diz, afastando o cabelo para trás. Usa laquê demais, e o cabelo se mexe numa massa sólida. – Me conte. Não perguntei por educação, eu realmente quero saber.

Olho para minhas mãos. Estão ossudas, com as unhas azuladas.

A srta. Lomax dá um suspiro.

– Pearl, eu sei como deve ser difícil.

Uma das minhas unhas está partida na altura da carne. Fico empurrando-a para a frente e para trás. Dói como o diabo.

– Sei mesmo.

Claro que sabe. Mas...

– Mas o fato é que há certas coisas que não podemos ignorar, Pearl.

Ela faz uma pausa, esperando que eu diga alguma coisa. Fico calada.

– Nós todos entendemos que nas primeiras semanas foi difícil para você se concentrar. Claro que foi. E você se saiu muito bem com as notas que tirou nas provas.

Tem uma mancha feia de batom na borda da xícara dela. Quando Molly estava em sua fase vegana radical, contou que o batom era feito de banha de porco e besouro moído. Na época não acreditei, mas, no fim das contas, talvez seja verdade.

– O fato é que isso não pode continuar indefinidamente, Pearl. Fomos pacientes e compreensivos com você por muitos meses. Mas chegamos ao ponto em que esse tipo de comportamento não é mais admissível. Você não pode faltar às aulas e esperar que não haja consequências.

Dou um puxão na unha partida com tanta força que ela se descola inteira. A pele embaixo está em carne viva e dói terrivelmente.

– Eu não espero nada – digo.

– Olhe, você é uma menina inteligente, Pearl. Mas se não tomar jeito rápido – ela faz uma pausa dramática e me encara para ressaltar que fala sério – vai ficar muito atrasada e pode ser que nem passe nas provas do Nível A.

Caio na gargalhada. Não consigo me conter. As provas do Nível A! A causa da Segunda Guerra Mundial e de *Orgulho e preconceito*. Ela acha mesmo que estou me importando com isso.

A srta. Lomax fica ressabiada. Não gosta que riam dela, então procuro me controlar.

– Isso não é piada, Pearl. É a universidade. A sua carreira. Tudo pode depender disso. Todo o seu futuro.

– Não tem importância.

– O que não tem importância?

Tenho quase pena da srta. Lomax. Ela realmente não faz ideia. Por onde começo? Como lhe dizer que tudo isso – não só as provas do Nível A e a universidade, mas tudo mesmo: ver TV, tirar a sobrancelha, amizade, ambições e *amor* – são apenas itens que a gente usa para se distrair do fato de que qualquer coisa pode acontecer a qualquer momento. A gripe suína. Uma guerra nuclear. Ser fulminado por um raio. Asteroides atingindo a Terra e varrendo todo o mundo do planeta como se fossem dinossauros.

Nada disso tem importância.

– Esqueça o que eu disse – respondo, me sentindo velha.

Ela aperta os lábios até eles se transformarem numa fina linha vermelha. Eu me pergunto qual será o nome do seu batom. *Passione*. Alguma coisa pretensiosa e sensual, é isso que ela escolheria. A srta. Lomax deve se achar irresistível com seu salto alto e sua blusa transparente que deixa entrever o sutiã.

– Olhe, Pearl, nós temos sido muito compreensivos, mas começo a achar que você está abusando. Existe um ponto em que a questão deixa de ser o luto e passa a ser o comportamento. Se você não mudar de atitude, Pearl, serei forçada a chamar seu pai. E nós talvez tenhamos de tomar medidas mais drásticas.

Agora chegamos ao ponto. Então era essa a Conversa Agradável. De repente, não sinto mais pena dela.

– Você acha mesmo que eu ligo? – digo. – Acha mesmo que qualquer coisa que você faça tem importância?

Ela não gosta disso. Está acostumada a conseguir o que quer.

– Não seja infantil, Pearl – ela se exaspera. – É exatamente disso que estou falando, do seu comportamento imaturo para chamar a atenção. Tenho certeza de que não era isso que sua mãe desejaria.

O ar fica preso na minha garganta.

– Você não conhece minha mãe – digo sem pensar e enrubesço feito boba. – Não conheceu.

– Não. Mas *sei* que ela não desejaria isto. Não desejaria que você se afundasse em autopiedade. Ela iria querer que você cuidasse da sua vida.

Observo atentamente seu rosto enquanto ela fala e mal escuto as palavras. Olho sua boca ridícula e pretensiosa manchada de banha de porco e besouros.

– Bem, Pearl, você tem alguma coisa a dizer?

– Sim. Tem uma mancha de batom no seu dente. E todo o mundo sabe que você anda dormindo com o sr. Jackson.

Ela me encara com o rosto vermelho.

– Certo. Para mim, já chega – diz. – Saia da minha sala.

– Com prazer – digo, pegando minha bolsa e me encaminho à porta.

Meu coração está batendo forte; a sensação é boa.

– Vou chamar o seu pai para uma conversa o mais rápido possível.

Decido não bater a porta. Em vez disso, eu a deixo escancarada.

DEZEMBRO

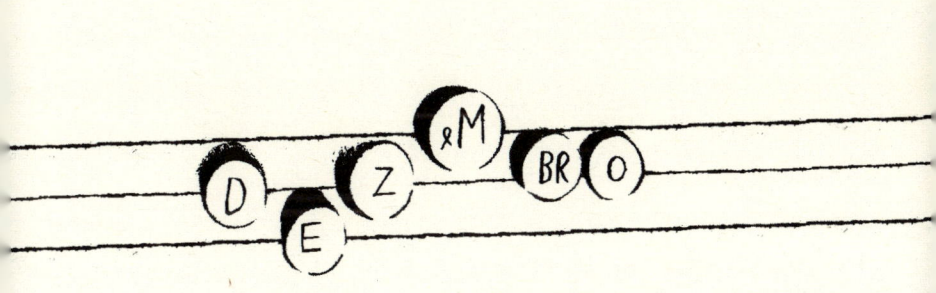

Batem na porta do meu quarto.

– Posso entrar? – papai está tentando fazer as pazes. – Trouxe um chá para você.

Tivemos uma discussão sobre a escola na semana passada. A srta. Lomax convocou nós dois para uma conversa sobre o meu "comportamento". O papai foi. Eu, não.

Quando ele voltou, deu um suspiro e disse:

– Bem, eu fiz o melhor que pude, Pearl. Disse à srta. Lomax que você era uma boa menina e tem passado por uma fase muito difícil. Disse que, com tempo e uma oportunidade para refletir, você tomaria juízo e pediria desculpas a ela.

– Não pretendo pedir desculpas – digo a ele. – E não voltarei à escola. Vou arranjar um emprego.

– Nem sei por que me dou ao trabalho.

– Também não sei.

E não nos falamos desde então.

Agora ele se senta na minha cama.

– Você não pode simplesmente se esconder aqui. Não quero que a gente brigue – ele suspira. – Esqueça a escola e tudo aquilo. Podemos conversar sobre isso quando tivermos tempo para refletir e nos acalmar um pouco.

– Eu tive tempo para refletir – digo. – E estou calma – através da janela, o céu está pesado e tingido de amarelo. – Dizem que vai nevar.

– Por favor, Pearl. São só duas semanas até o Natal. Vamos tentar aproveitar, hein? Juntos. Como uma família.

Mas como podemos fazer isso?

– Vamos decorar a árvore daqui a pouco. Você nos ajuda?

Isso sempre foi incumbência da mamãe. Ela só me deixava ajudar a contragosto. Adorava o Natal, tudo, as canções, os presentes e o embrulho dos presentes. Sempre tínhamos um calendário especial com a contagem regressiva para o Natal. Mamãe era como uma criança grande.

Papai aguarda minha resposta. Por fim, diz:

– Não podemos continuar assim, Pearl.

Não está zangado. É apenas uma constatação.

– Não – para variar, eu concordo.

Ouço a porta fechar atrás dele.

O jardim se apresenta com a nudez do inverno. Há apenas alguns meses, era uma selva. Finn o transformou, podando, tirando as ervas daninhas, aparando, plantando. Mas agora as árvores estão rígidas e sem folhas, e a terra ficou escura. Penso nas sementes que ele plantou, brotos crescendo debaixo da superfície. É difícil acreditar que ainda estão ali. Mesmo que estejam, ele não poderá vê-los. Há um grande cartaz de VENDIDA no jardim da frente de Dulcie. A casa tem estado vazia desde que ela foi internada no hospital. Logo terá um novo dono. Olho para minha escrivaninha onde estão as rosas que Finn me deu, secas agora, mas ainda de um vermelho vivo. Ele voltou para a faculdade. Acho que eu nunca mais o verei. Provavelmente é até bom que isso aconteça. Ele deve me detestar.

Penso em chamar a mamãe, mas para quê? Ela não virá. Só aparece quando quer.

Eu me dou conta, com um choque, de que não quero vê-la. Estou cansada de mentir e fingir que está tudo bem com o papai e o Rato. Estou cansada da insistência dela com relação à escola e Molly. Estou cheia das evasivas dela quando pergunto sobre James.

Lembro do cartão de Natal que pretendia mandar para ele junto com a carta. Agora é tarde demais. Amanhã é véspera de Natal; mesmo que eu o envie hoje, nunca chegará a tempo. Eu o pego e olho para o nome dele escrito na minha caligrafia mais caprichada, murmuro e tento, ainda agora, evocá-lo por meio do som de seu nome. E, enquanto olho o envelope, me ocorre de repente uma ideia maravilhosa e assustadora: não preciso passar o Natal aqui. Há outro lugar aonde posso ir. Leio o endereço dele. Hastings não é longe daqui. Procuro no mapa. Fica no litoral sul, atravessando Kent em direção a Sussex. Eu poderia chegar lá dentro de algumas horas. Meu coração se acelera. Será que eu poderia fazer isso? Terei coragem de aparecer na casa dele?

Sim. Sou sua filha. Ele não poderia rejeitar a própria filha no Natal. É uma data familiar. Ficará contente, sei que ficará. Mais do que contente. Ele dirá: "Imaginei este momento por tanto tempo..."

Ou talvez não se alegre. Mas, seja como for, é melhor do que ficar sentada aqui.

Sei que, se eu pensar muito, vou perder a coragem. Então não penso. Checo os horários dos trens pelo telefone. Tiro de baixo da cama a mala de rodinhas que mamãe me deu para a excursão de esqui que fiz com a turma da escola. Eu a encho com todas as roupas que consigo. Quem sabe quanto tempo ficarei lá? Talvez para sempre. Penso em levar o cartão de Natal e a carta para ele. Mas para quê? Posso lhe dizer tudo pessoalmente.

Paro no vestíbulo. Papai e vovó estão na sala rindo e conversando ao som das canções natalinas que tocam no rádio. Penso em ir embora, em sair de fininho sem falar nada. Mas quero ver a cara deles quando eu disser aonde estou indo.

Abro a porta e me adianto o suficiente para que vejam a mochila nas minhas costas e a mala de rodinhas. Mas ninguém me olha. Papai está ocupado com as luzes da árvore, torcendo o fio das lâmpadas e murmurando, vovó está retirando um emaranhado de enfeites da caixa de decoração natalina forrada de papel festivo, que temos desde que me conheço por gente. O Rato observa de sua cadeirinha, os olhos arregalados acompanhando os ornamentos brilhantes. E me ocorre que eles não precisam de mim para nada. Estou sempre espreitando da porta, à margem do que quer que estejam fazendo. Ótimo. Isso prova que estou pronta para partir.

– Tudo bem – digo jovialmente. – Estou indo. Tchau.

– Oh – diz papai, empurrando os óculos de leitura para o alto da cabeça. – Não sabia que você estava de saída.

Vovó tagarela.

– Mas pensei que você ia me ajudar a confeitar o bolo de Natal.

– Não ia, não.

– Aonde você vai? – papai diz, detendo o olhar incerto na minha mala. – Pretende pernoitar na casa da Molly?

– Não mesmo.

Ele faz uma pausa.

– Aonde então?

– O que isso lhe importa?

Papai larga o cordão de luzes.

– O quê?

Digo animadamente:

– Você deixou claro que não me queria aqui. Você mesmo disse que não podemos continuar assim. Então estou indo para outro lugar onde serei um pouco mais bem-vinda.

Papai me encara.

– Isso é alguma piada?

– Não.

– Não estou entendendo – diz ele.

– Vocês ficarão mais felizes sem mim. Só os três.

Vovó bufa audivelmente de trás da árvore, onde está pendurando bolas de Natal:

– Nunca vi tamanho drama. Francamente, Pearl.

Mas papai apenas me encara.

– Onde você poderia ser mais bem-vinda do que na sua própria casa?

Faço uma imperceptível pausa.

– Esta não é minha casa – digo. – Não é mais minha casa.

Ele esfrega os olhos.

– Então para onde você vai?

– Ela não vai a lugar nenhum – diz vovó. – Está sendo apenas boba.

Eu o olho enquanto digo:

– Para a casa do meu pai.

– O quê?

Ele realmente não sabe do que estou falando. Mas vovó sabe; sua boca se aperta numa tênue linha fina.

– James – digo. – Meu pai.

Ele fica um instante em silêncio, digerindo minhas palavras.

– Você está dizendo isso só para me magoar? – fala, afinal. – Porque, se estiver, conseguiu o que queria, Pearl – balança a cabeça, como se tentasse sacudir minhas palavras para esquecê-las.

– Bom, nós todos sabemos com quem ela aprendeu isso – vovó murmura, alto o suficiente para se fazer ouvir.

– Mamãe, *por favor* – papai se exaspera.

Eu me viro para ela.

– O que exatamente você quer dizer com isso?

– Ela não quer dizer nada – papai intervém, cansado.

– O que eu quero dizer – vovó esclarece – é que sua mãe também sabia ser cruel quando queria. Ah, ela sabia ser cativante, sim. Mas podia mudar bem rápido quando era contrariada.

– Mamãe, pelo amor de Deus, cale a boca! – por um segundo, nós duas olhamos surpresas para ele. – Pearl, me escute. Você não pode ir lá.

– Posso, sim.

O Rato começa a choramingar.

– Você falou com ele? James?

– Isso não é da sua conta – retruco.

– Por favor, Pearl – papai diz. – Não faça isso. Esta é a sua casa. Eu sou seu pai.

– Olhe, você não precisa mentir – digo. – Nós todos sabemos que você não me quer mais aqui, agora que tem a Rose. Então vamos parar de fingimento.

A vovó põe no chão, com um estrondo, a caixa de anjinhos de madeira que está segurando, e eles se esparramam pelo piso. O choro do Rato fica mais alto.

– Sei que as coisas têm sido difíceis para você, Pearl, e lamento isso. Mas não vou ficar ouvindo essas coisas – a voz de vovó treme com o ímpeto de suas palavras. – Sei que antes você era o centro do universo nesta família. Mas a situação mudou. Não só para você. Para todo o mundo. Nós todos estamos tentando lidar com a situação da melhor forma possível. E você – ela aponta o dedo para mim – tem se comportado como uma menininha egoísta. Está na hora de crescer!

– Egoísta? Não sou eu que estou sendo egoísta. *Ele* que é egoísta. Se não tivesse forçado a mamãe a ter o bebê, ela ainda estaria viva.

Vovó me encara.

– Forçar a ter o bebê? Do que você está falando?

– Ele queria que mamãe engravidasse para poder ter sua própria filha.

– Não! – papai diz. – Você entendeu tudo errado, Pearl. Eu amo a Rose, claro que amo. Mas foi a mamãe que quis outro filho.

Eu o encaro.

– Não foi, não.

– Sinceramente, eu estava feliz com as coisas do jeito que eram. Você sabe disso.

– Você é um mentiroso.

Vovó se vira para mim.

– Não o chame de mentiroso. Seu pai não queria outro filho. E vou lhe contar por quê. Ele estava tentando proteger sua mãe. Não queria que ela ficasse no estado em que ficou depois de ter você...

– Mamãe! – papai a interrompe, mas vovó está bem diante de mim, com as faces afogueadas, rígida de cólera, e não lhe dá ouvidos.

– Tão deprimida que nem conseguia cuidar direito de você.

– Mamãe, chega!

Leva um segundo para eu assimilar suas palavras.

– Não minta... – tento prosseguir, mas minha voz fica estrangulada e presa na garganta.

– Oh, não sou uma mentirosa, Pearl. Acho que sua mãe nunca contou que eu cuidei de você durante meses quando você era bebê, contou?

Olho para o papai, esperando que a contradiga, mas ele guarda silêncio com o rosto marcado pela tristeza.

– Não? Eu já imaginava. Ela devia estar muito ocupada contando a você como eu era uma megera intrometida – vovó estuda minha expressão e sorri sem vontade. – Bem, eu cuidei de você porque durante um tempo *ela* ficou em tal estado que nem conseguia levantar da cama de manhã. Seu pai trabalhava fora o dia todo. Então eu me mudei para cá, deixando de lado meu trabalho, minha casa e meus amigos para cuidar de você. Não estou reclamando. Não me importei de fazer isso. Na verdade, adorei. Eu amava você. De verdade. Como se você fosse meu próprio bebê...

Ela me olha, e seu rosto se suaviza. Sei que não está mentindo.

– Nós a convencemos a buscar ajuda. E aí, tão logo ela se restabeleceu, acabou. Não me quis mais por perto. Despachou-me de volta para a Escócia o mais rápido possível. E a partir daí me manteve a distância. Sempre arranjou pretextos para eu não visitar vocês nem você ir me ver. Eu continuei tocando a vida e afinal voltei à minha velha rotina. Mas sentia muito a sua falta. – Hector dá um ganido tristonho a seus pés enquanto ela enxuga os olhos. – Minha preciosa Pearl...

O Rato está aos berros. Papai se curva para pegá-la.

Eu me viro desajeitadamente com a mochila e cruzo o vestíbulo.

– Pearl! – papai chama. – Espere! Você não pode simplesmente ir embora.

– Posso, sim – grito.

– Então vou com você – diz. Parece que tem toda intenção de me acompanhar e apanha o casaco no cabideiro.

Eu o encaro.

– Não vai, não. Foi tudo combinado. James quer que eu vá. Não quero você lá para estragar tudo. Não é da sua conta.

– Deixe ela ir – vovó grita da sala. – Estará de volta antes da hora do chá.

Bato a porta às minhas costas e caminho para a luz pálida e fria da tarde.

– Pearl? O que aconteceu?

É mamãe atrás de mim.

– Espere.

Aperto o passo, com as rodinhas da mala fazendo barulho contra o calçamento.

– Pearl! Aonde você vai? – ela arfa, tentando se emparelhar comigo.

– E você lá se importa?

– Claro que me importo – ela tenta me segurar pelo braço, mas eu lhe dou um safanão. – Pearl, *por favor*. Pare. Conte o que aconteceu.

– Você mentiu para mim. – Foi isso que aconteceu.

– Eu? – ela faz uma pequena encenação bem-humorada. – Não, eu não, Excelência, deve estar me confundindo com outra pessoa. Sou tão honesta quanto o dia é longo.

Eu a ignoro.

Corto caminho pelo parque para chegar à estação. Está silencioso; todo o mundo foi fazer compras ou ficou abrigado em algum lugar aquecido. A grama endureceu com a geada.

– Ah, espere. Você não está assim por causa daquela vez em que eu não pude assistir à sua apresentação de dança na escola porque a gata passou mal e precisei salvá-la com procedimentos de emergência?

Continuo quieta e sigo andando.

– Se for isso, vou confessar que então você me pegou. Admito que esqueci. Pronto. Aí está. Será que pode me perdoar?

– Por que você faz isso?

– Isso o quê?

– Sempre que o assunto é sério, você tenta transformar em piada.

– Não sei. Mecanismo de defesa? Baixa autoestima? Provavelmente tem algo a ver com minha infância. Acho que é meio tarde para pensar em fazer terapia agora.

Ela sorri, esperançosa.

– Você mentiu sobre tudo.

– Como assim?

Eu a olho, percebendo que há tantas coisas que não sei e talvez nunca saiba sobre ela. Penso em tudo o que descobri. Mas só uma coisa importa agora.

– Você me disse que o papai quis o bebê. Disse que fez isso por ele. Mas era você que queria. Você queria ela.

– Sim – ela diz. – Bom, talvez. Mas isso não é nada grave, é?

Desvio o olhar.

– Esse tempo todo eu o culpei por insistir que você tivesse o bebê.

Mamãe não faz nenhuma encenação agora. Nenhuma piada.

– Achei que, se não fosse por eles, pelo papai e pelo bebê, você ainda estaria aqui. Mas não foi por causa dele. Foi por sua causa.

– Pearl, me escute – ela agarra meu ombro com força. Sua voz está trêmula. – Ninguém tem culpa. Nem o papai nem eu – ela me encara. – E nem meu pobre bebê, que vai crescer sem conhecer a mãe.

Eu a encaro e finalmente compreendo, compreendo quanto ela ama o Rato.

Eu me viro e me afasto, caminhando no vento gelado.

– Pearl? Aonde você vai? – o vento carrega a voz dela para longe.

Não olho para trás.

* * *

Faz frio dentro do trem, e me acomodo em minha poltrona com os fones no ouvido para o caso de alguém querer conversar. Estou tremendo. Não sei se de frio ou raiva. Minha cabeça transborda com mamãe, papai, vovó e o Rato, e meus pensamentos são tão altos e exasperados, que acho que as pessoas vão escutá-los.

Mas o mundo que passa pela janela é reconfortante: primeiro os fundos das casas e dos jardins, quadradinhos da vida das pessoas, depois prados e árvores, um homem passeando com o cachorro, tudo é visível agora e depois fica para trás, visível agora e depois para trás, debaixo de um grande céu branco.

Quando mergulhamos num túnel, meu reflexo entra em foco de repente, pálido contra o negrume do vidro.

Meu cabelo cresceu um pouco, mas ainda está desalinhado. O que James pensará ao me ver? Começo a me arrepender de não ter deixado a vovó me convencer a ir com ela ao cabeleireiro ajeitar as pontas desiguais que sobraram. A janela tem vidraça dupla, de modo que há dois reflexos sobrepostos olhando de volta para mim, um nítido e sólido, o outro transparente e mais apagado, com o contorno indefinido, e por um segundo acho que me identifico mais com esse reflexo; esse é o meu eu real e o outro é o que eu deixei para trás naquele dia, quando saí do cinema e ouvi a mensagem do papai e o mundo parou.

A rua se torna mais íngreme à medida que avanço, e, à luz que declina, vai ficando difícil enxergar o número das casas. Mas sei que estou chegando perto: 49, 51. Meu coração bate forte. Número 57.

É aqui.

Paro um momento na frente do portão. A casa é igual a todas as outras da rua: uma construção semigeminada de aparência normal, as paredes creme texturizadas com pedrinhas e um feio alpendre envidraçado na frente. Tem aquelas janelas plastificadas com um padrão de diamante que têm a pretensão de parecer antigas.

Para ser sincera, não é o tipo de casa onde a gente sonharia que o pai desconhecido da gente morasse. Na longa viagem de trem até aqui, eu havia imaginado uma tortuosa mansão gótica empoleirada no topo de um penhasco. Mas, como ponto positivo, também não é um antro de *crack*. E, olhando do alto do morro que eu acabei de subir, posso ao menos ver o mar se estendendo lá longe até um horizonte cinzento e enevoado.

Parece que alguém cuida bem do jardim. Ele? Tento adivinhar. Ou será que ele tem uma esposa?

Na frente da casa, há uma perua preta maltratada, com um desses adesivos de *Princesinha a bordo* no vidro de trás. Paro de andar.

Uma filha.

Ele tem outra filha.

Por que não me ocorreu que ele poderia ter filhos?

Eu me dou conta de como faltou planejamento a tudo isso. Não posso ir lá dentro. O que estou fazendo aqui?

Mas aí penso no papai, na vovó e no Rato, todos aconchegados e felizes juntos, e sei que não tenho alternativa porque não posso voltar.

Cerro os dentes e, antes que tenha tempo de pensar numa razão para não fazer isso, avanço pelo caminho pavimentado com pedras irregulares. As luzes da sala da frente estão acesas e tenho vontade de espiar lá dentro. Mas não espio, para o caso de ver alguma coisa que me faça mudar de ideia. Mantenho os olhos no adesivo de *Vigilância solidária do bairro* na porta do alpendre enquanto marcho pelos degraus e aperto a campainha com força.

Dá para ouvir grunhidos na sala da frente, e um cachorro começa a latir em algum lugar nos fundos da casa. Passos. Eu me sinto tonta por um momento, imaginando o rosto de James e a reação dele quando me vir. Será parecido comigo? Saberá quem sou ou precisarei lhe dizer?

Aí vejo um narizinho pressionado a meia altura contra o vidro opaco da porta e uma boca achatada logo embaixo. A boca se move pelo vidro, deixando uma trilha que parece uma minhoca rosada e branca.

– Verity!

Uma silhueta escura se avulta atrás da criança, mas não é ele. A voz é de mulher.

– Vá colocar uma roupa, Verity, pelo amor de Deus – diz.

Isso foi um erro. Agora eu sei. Mas é tarde demais. A porta está se abrindo.

Atrás dela, surge uma mulher bonita com ar exausto, acho que mais ou menos da idade da mamãe. Equilibra um menino de uns dois anos no quadril, e, às suas costas, desaparecendo escada acima, há uma criança nua – Verity, eu presumo – calçando apenas meias.

– Pois não? – a mulher diz, claramente desejando que eu vá embora.

Tomo fôlego, como se fosse falar, mas não sei o que dizer. Então fico ali com ar abobalhado e a boca aberta, sem causar aquela primeira impressão sofisticada que havia idealizado. A criancinha começa a berrar.

– Olhe – diz ela, colocando o menino no chão para que ele possa empreender sua fuga desajeitada no vestíbulo. – Não quero ser mal-educada, mas é hora do chá das crianças. Eu adoraria fazer uma doação para a caridade, mas...

– Oh, não – digo, rindo como uma louca. Deve ser o nervosismo. – Não represento nenhuma entidade beneficente.

– Quem é você então?

– Eu... – emudeço ao ver a aliança de casamento no dedo dela. – Estou procurando James.

– James? – agora a mulher me olha com mais atenção, notando minha mochila e a mala. – Você se refere ao Jim. O que quer com ele?

– Eu sou... – não consigo dizer. – Ele é meu... – Não, isso é pior. – Meu nome é Pearl.

Sua expressão muda. Ela me perscruta. Sei que sabe quem eu sou. Pelo menos ele deve ter mencionado meu nome e admitido minha existência.

– Ninguém o chama de James – ela esclarece, cruzando os braços.

Ficamos de pé nos entreolhando, ela do lado de dentro preenchendo o vão da porta, eu do lado de fora no frio. Busco furiosamente algo apropriado para dizer à esposa hostil do pai que nunca vi, e me dá um branco. Então, em vez disso, fico ali tremendo, pois na pressa de sair nem me lembrei de vestir um casaco adequado. Estou com a velha jaqueta de couro da mamãe, a mesma que ela vestia no dia em que estávamos no jardim e ela me contou sobre o Rato. Estou tão furiosa com ela agora que, se não estivesse fazendo uma temperatura abaixo de zero, eu teria deixado a jaqueta no trem. Sendo assim, puxo as mangas para tentar cobrir meus dedos congelados. Meus dentes estão tiritando.

– É melhor você entrar – ela diz num tom monótono, embora seu rosto diga outra coisa.

Passo por cima de galochas e brinquedos e entro no vestíbulo puxando minha estúpida mala, e noto como deve parecer presunçoso.

A casa tem um cheiro que não é familiar. Não é ruim, só o cheiro da casa de outra pessoa.

– Ele vai voltar num minuto – ela me conduz à sala de estar cheia de brinquedos espalhados. – Você pode esperar aqui. Eu tenho de terminar de fazer o jantar.

Ela se detém à porta. Sei que quer me perguntar o que raios eu penso que estou fazendo aqui. Verity reaparece com uma malha de *lycra* brilhante.

– Venha, Verity – a mulher diz por fim. – Venha ajudar a mamãe.

Há um estrondo e um choro alto vindo da cozinha.

– Jesus, Alfie – ela diz, e desaparece.

Verity não a acompanha. Fica parada diante de mim e me observa com atenção. Eu me sento no sofá, pouco à vontade, cruzando e descruzando as pernas. Meus dedos da mão e do pé queimam com o choque de temperatura agora que saí do frio. Há uma árvore de Natal no canto com luzes cintilantes que está me dando dor de cabeça. Na TV passa *Teletubbies* com o som alto demais.

– Você gostou da nossa árvore? – ela diz, orgulhosa.

Todos os enfeites estão posicionados exatamente na altura de Verity, de maneira que na parte mais alta não tem nenhum ornamento, à exceção de um anjo que se equilibra precariamente no topo.

– É muito bonita – digo. – Foi você que decorou?

Ela faz que sim com a cabeça.

– Foi.

– Muito... natalina.

Ela me encara mais um momento.

– Quem é você?

Fico sem saber o que dizer. Obviamente, não posso lhe contar.

– Meu nome é Pearl.
– O meu é Verity – ela diz, oferecendo a mão para eu apertá-la. – Muito prazer. Sou uma ginasta famosa. Você sabe fazer ginástica?
– Não – respondo.
– Oh – ela parece decepcionada.
Não sei mais o que dizer e olho para a televisão.
– Você gosta de *Teletubbies*? – ela pergunta.
Encolho os ombros.
– Claro – digo. – Láá-láá. Po. Quem é que não gosta?
Ela me dirige um olhar crítico.
– Eu estou crescida demais para isso – explica. – Eles são para bebês como o Alfie.
O que faz com que eu me sinta muito idiota.
Ela continua me fitando. Sabe aquele jeito que algumas crianças têm de encarar, parecendo que enxergam o seu cérebro? Eu me remexo no sofá e procuro não pensar que a mãe dela é uma grossa por nem sequer nos apresentar ou me oferecer um chá.
– Você quer um chá? – diz Verity.
Eu me sobressalto.
– Ah, sim.
Essa menina está começando a me assustar.
– Sim, *por favor* – ela diz, severa.
Desaparece debaixo da mesa de centro e ressurge com um bule de plástico, que entrega para mim.
– O bule inteiro? Só para mim?
– É. O Alfie esconde as xícaras. Quer açúcar?
– Não, obrigada.
– Leite?

– Só um pouquinho.

Finjo beber um grande gole de chá imaginário do bule. O que estou fazendo aqui? Eu considero a possibilidade de fugir correndo. Mas para onde? Verity me olha, indagativa.

– Está gostoso?

– Hum, uma delícia – digo.

Um cheiro de iscas de peixe queimadas chega da cozinha, e, aliado à minha fome, o meu cansaço e nervosismo, mais a música do *Teletubbies* zunindo na minha cabeça, me sinto enjoada. Isso não é o que eu esperava. Por um momento, me dá vontade de chorar.

– Verity! – a mulher grita da cozinha no meio do cheiro de queimado, que persiste. – Quero você aqui *agora*.

Ela ignora a mãe e se limita a continuar me encarando.

– Você não parece muito bem – diz. – Você fuma?

– Não.

– Fumar deixa a gente doente.

– Verdade. Mas eu não fumo. Estou só cansada.

– O papai fuma.

Olho para ela.

– Verdade?

– Menos depois do Natal. Ele vai parar depois do Natal.

Essa menininha deve saber tanta coisa sobre meu pai que eu não sei.

O enjoo volta. E se ele se zangar de eu ter vindo? E se gritar e me expulsar daqui? Isso é o que *ela* gostaria que ele fizesse, essa Destruidora de Iscas de Peixe, seja lá qual for o seu nome. Sei que gostaria.

– *Verity!* – parece zangada agora. Acho que não quer que a menina fique comigo. – Venha aqui *já*. O chá está pronto.

Eu a olho expressando temor e conchavo.

– Acho melhor você ir. O cheiro está gostoso – minto.

Quando ela sair da sala, eu vou me esgueirar pela porta da frente e correr. Não sei para onde irei. Mas preciso sair daqui.

Ela faz uma careta.

– Pode comer a minha parte se quiser.

– Você é gentil, obrigada.

Ela está prestes a dizer algo quando o cão barulhento recomeça a latir, cada vez mais alto, correndo para o vestíbulo. De repente, percebo por quê.

– O papai chegou! – Verity dá um gritinho e sai na disparada.

A porta da frente bate, e eu a ouço pular e cacarejar com ele, que ri e dá grunhidos tentando falar com Verity, mas os sons são abafados porque ela está subindo nele e o beija. E eu fico ali, com o traseiro grudado no sofá, desejando sumir ou viajar no tempo ou *qualquer coisa*, pois eu sei, eu *sei* que cometi um terrível erro.

Sei que não deveria estar aqui.

Dou uma espiada atrás da porta, na esperança de vê-lo antes que me veja, mas ele me avista naquele exato instante, coloca Verity no chão lentamente e se endireita para me olhar com atenção. Sou forçada a sair de trás da porta.

– Oi – ele diz, confuso. É alto e magro, os cabelos esbranquiçados presos num rabo de cavalo, rareando na frente de modo que os fios parecem ter escorregado para trás da cabeça. Fico com a cara no chão ao estudá-lo; não tem nada a ver com o James que imaginei. Nem sequer é James. É Jim.

– Oi – soa como um pedido de desculpas. – Sou a Pearl.

– Pearl? – diz. Fica parado à minha frente, encarando-me com uma expressão de desenho animado, como se tivesse sido atingido na cabeça por uma frigideira. – Pearl. Claro. Eu sou o Jim. – Faz-se um silêncio desajeitado no qual ele presumivelmente tenta entender por que diabos estou aqui. – Você se parece muito com a sua mãe – diz por fim.

– Não pareço, não – digo depressa, porque estou com tanta raiva dela que não quero parecer, e de qualquer forma isso é besteira. Não tenho nada dela.

– Parece, sim – diz ele. – Sua expressão. Ao redor dos olhos.

Percebo de repente a Destruidora de Iscas de Peixe à porta da cozinha, segurando Alfie à frente do corpo como um escudo e enviando vibrações letais para o vestíbulo, embora eu não saiba se são dirigidas a mim, a ele ou a nós dois.

– Oi, amor – ele diz, se aproximando dela e lhe dá um beijo no rosto, mas a mulher ergue o sonolento Alfie e assim o menino é quem ganha o beijo, enquanto ela endereça a James – Jim – um olhar que grita Não me Venha com Oi, Amor. De fato, ela tem de apertar os lábios para evitar que o grito saia. Mas sei que não quer berrar com ele porque estou olhando.

– Então... – diz Jim nervosamente, e percebo em seu olhar que ele rebobina mentalmente aquela tarde e pressupõe há quanto tempo cheguei e como todos estão interagindo, e provavelmente conclui que não ficamos sentados contando histórias acompanhadas de bolo e limonada.

– Vocês já se conhecem.

– Sim – digo.

– E... ãh... – percebo que o que ele realmente quer dizer é *Que diabos você está fazendo aqui?* mas não consegue encontrar uma forma educada de fazer isso.

– Pearl veio para ficar – Verity canta e executa uma dancinha. – Pearl veio para ficar, hurra, hurra, hurra!

O cão, que no final das contas é grande e bem peludo, acompanha o canto e a coreografia. Mais uma vez, desejo que ocorra alguma catástrofe natural capaz de abrir o chão e engolir todos nós.

– Não está na hora do banho, Verity? – diz Jim.

A Destruidora de Iscas de Peixe vira-se para ele.

– Posso falar com você? – diz gelidamente. – *Em particular.*

– Tudo bem – digo. – Não precisa se preocupar. Já estou indo embora.

– Indo embora? – Verity grita. – Mas você não pode ir. Acabou de chegar.

– Desculpe – digo. – Só parei para dar um alô. Eu estava... passando aqui perto.

James olha para mim com um misto de surpresa e alívio.

– Você estava só passando?

– Sim – desvio o olhar.

– Como sabia o endereço?

– Encontrei no computador da mamãe.

– Por que você não ligou para avisar que vinha?

– Não sei.

Olho para meus pés e posso sentir que ele me observa, tentando entender o que realmente está acontecendo. E se ficar bravo? Sinto pânico outra vez. Preciso ir embora.

– Sua mãe e seu pai não se importaram de você vir aqui?

Não respondo.

– Eles sabem que você está aqui, não é?

– O papai sabe. A mamãe... bem, ela morreu.

Verity abraça minhas pernas.

– É por isso que você está triste?

– O quê? – diz James. – Stella morreu? Quando?

– Em fevereiro.

– Sinto muito mesmo – diz. – Como?

– Ela teve um bebê. Ficou doente de uma hora para outra.

– Sinto muito mesmo – ele repete.

– Eu realmente preciso ir. Foi um prazer ver você – digo a Verity, ignorando de propósito a Destruidora de Iscas de Peixe, que me olha enfurecida.

– Vamos fazer o seguinte – diz Jim. – Por que não damos uma volta?

– Posso ir também? Posso ir também? – diz Verity aos pulos.

– Não, querida, é só a Pearl e eu.

– Mas você não pode ir – diz a DIP. – Precisamos embrulhar todos os presentes de Natal.

Jim segura a mão dela.

– Prometo que não vamos demorar. Deixe disso, Bel – ele a olha de um modo que não consigo decifrar. – Imagine só se fosse a Verity.

– Imagine se fosse eu? – a menina diz e escorrega no corrimão, aterrissando ao pé da escada com um salto. Eu a ajudo a levantar. – Obrigada. Estou ficando mesmo boa nisso, hein?

– Tudo bem – a DIP diz, e talvez ela não seja tão megera assim, pois acho que sorri ligeiramente quando ele a beija no rosto. – Vejo você depois.

Caminhamos em silêncio. O que será que Jim está pensando? O que *eu* estava pensando? Que ele acolheria minha chegada de braços abertos? Que teria uma cama pronta para mim no quarto de hóspedes para o caso de eu aparecer um dia? Eu me encolho constrangida dentro da jaqueta.

– Você se importa se eu fumar? – ele diz afinal.

– Não.

– Vou parar em breve.

– Eu sei. Verity me contou.

Ele dá uma risada.

– Ela vive pegando no meu pé por causa disso.

– Eu fazia a mesma coisa com a mamãe. Não que ela desse bola. Só parou na época da gravidez.

– Eu lamento tanto pela sua mãe – Jim diz.

Não digo nada. O frio é de congelar, e o chão está escorregadio com a geada.

– Segure no meu braço – diz ele. – Isto está parecendo um rinque de patinação.

– Não, estou bem.

Olho de soslaio para ele e detecto um meio sorriso no canto de sua boca.

– O quê? – digo.
– Eu estava certo. Você é como sua mãe.

O vento à beira-mar é cortante como uma lâmina. Jim me leva a um café. Ali dentro está quente e movimentado, e há enfeites brilhantes de Natal. Fazemos nossos pedidos e sentamos a uma mesa com uma toalha xadrez vermelha desbotada.
– O que aconteceu de verdade? – ele diz por fim.
– Como assim?
– Você não estava só passando aqui perto, estava?
Penso em mentir, mas requer muito esforço e simplesmente não tenho energia para isso.
– Então – ele diz num tom brando. – O que aconteceu para você fazer as malas e aparecer lá em casa depois de dezesseis anos?
Tudo o que me ocorre para explicar a razão da minha vinda parece bobo e infantil.
– Seu pai sabe mesmo que você está aqui? Se não sabe, você precisa avisá-lo, Pearl, ou ele vai morrer de preocupação.
– Eu lhe contei que estava vindo para cá.
– E o que ele disse?
Brinco com um guardanapo.
– Não lhe dei oportunidade de dizer nada.
– Vocês discutiram?
Faço um gesto de assentimento.
– Uma discussão feia?
– Acho que sim.
– Por quê?

Eu me sinto tão boba.

– Por causa de tudo.

A garçonete deixa uma vasilha de batata frita na mesa, além de um chocolate quente para mim e uma cerveja para Jim.

– É, isso acontece. Lembro que meu velho e eu às vezes quase saíamos no tapa quando eu tinha a sua idade.

– O papai e eu nos dávamos bem. Antes.

Jim balança a cabeça em sinal de compreensão.

– Imagino o que vocês passaram nos últimos meses. Com certeza foi muita pressão para os dois.

Ele empurra a batata frita para mim. Estou tão faminta e o cheiro é tão gostoso que não resisto e pego algumas. Começo a me sentir um pouco mais aquecida.

Enquanto bebo meu chocolate quente, olho Jim de soslaio, tentando enxergar o rapaz da foto de passaporte.

– Por que você e a mamãe não continuaram juntos?

– Saímos por pouco tempo – ele diz. – Nós nos dávamos bem, mas logo percebemos que não tínhamos muito em comum. Ela estudava artes plásticas e eu fazia o curso técnico de hidráulica. Tínhamos amigos totalmente diferentes. Não gostávamos nem do mesmo tipo de música – ele bebe um gole de cerveja. – Então decidimos nos separar. Nem chegamos a romper porque nunca tivemos um relacionamento sério. Eu não telefonava para sua mãe nem ela para mim. Então, dois meses depois, ela me ligou e contou que estava grávida de você. Só posso dizer que fiquei meio em choque.

Pela primeira vez, imagino como deve ter sido para mamãe descobrir que estava grávida com uns poucos anos a mais do que eu.

– Ela estava feliz com a gravidez?

Jim parece pouco à vontade.

– Foi um choque. Eu disse que apoiaria qualquer decisão que ela tomasse. Mas sua mãe já tinha seus planos. Disse que cuidaria de tudo sozinha. Mais ou menos um ano depois, me mandou uma foto sua. Contou que havia conhecido seu pai e os dois iriam se casar.

– Vocês mantiveram contato?

– Na verdade, não.

– Mas a mamãe tinha seu endereço?

– Nós combinamos que, se você quisesse saber mais sobre mim quando crescesse, poderia me procurar.

– Mas você nunca quis entrar em contato? Nunca quis me ver? – tento não ficar magoada, sei que é bobagem; afinal, eu nunca quis vê-lo.

– Quis, sim. Acho que amadureci um pouco e me arrependi de não lhe dar apoio. Então propus à sua mãe de me encontrar com você. Ou talvez eu pudesse mandar cartões de aniversário ou presentes de Natal, coisas assim. Mas Stella recusou, argumentando que isso deixaria você confusa. Disse que você já tinha um pai que a amava e estava ciente de que ele não era seu pai biológico, mas isso não fazia diferença. Você sabia meu nome e nada mais. Talvez, quando crescesse, pudéssemos conversar sobre isso de novo. Eu não quis causar problemas nem chatear você. Acho que só gostaria que soubesse que eu não era um completo fracassado que abandonou a filha. Mas aí conheci a Bel e tudo mudou. Ela já tinha a Verity, que estava completando dois anos de idade – o rosto dele se ilumina quando fala nelas. – Olhe aqui, tenho uma foto da Verity no dia do nosso casamento.

Ele abre a carteira e mostra a foto de uma Verity menorzinha e mais rechonchuda vestida de dama de honra, com uma tiara torta e o rosto manchado de chocolate.

– Ela parece uma criança muito bacana – digo.

– Bel diz que sou um bobo sentimental, mas, quando olho para ela, é como se soubesse por que nasci. Sei qual é a razão da minha existência. Pois é, parece bobagem.

– Não – digo. – Não parece bobagem.

– Acontece que eu percebi que seu pai devia sentir a mesma coisa por você. E pensei em como eu reagiria se o pai biológico da Verity quisesse entrar em contato para vê-la... não que isso seja provável, pois ele é um inútil.

Jim faz uma pausa para tomar outro gole de cerveja.

– O fato é que eu não poderia fazer isso com seu pai. Sabia que ficaria muito magoado. Ele criou e cuidou de você desde pequena, não é? Ele se preocupou quando você adoecia, ajudou você a se levantar dos tombos, fez com que se sentisse protegida quando tinha pesadelos ou ficava com medo de monstros debaixo da cama. Não é isso?

Estou sem palavras.

– Eu não tinha o direito de me considerar seu pai.

Jim me olha.

– Ah, não, fiz você chorar. Por favor, não chore. Desculpe – ele vasculha o bolso e me dá um lenço. – Está limpo.

Assoo o nariz.

– Não tive a intenção de deixá-la triste – ele diz. – É a última coisa que eu quero.

– Não é culpa sua – digo.

– É, sim. Remexi no passado. E olhe como você está, parece exausta. Vamos voltar para casa. Ligaremos para seu pai e, se ele concordar, pode pernoitar aqui e amanhã damos um jeito de você voltar para sua casa.

Penso no papai e na cara que ele fez quando eu disse que vinha para cá, e não consigo deter as lágrimas silenciosas que deslizam pelo meu rosto.

– Tudo vai melhorar depois de uma boa noite de sono – ele diz. – Eu prometo.

– Não posso voltar com você. O que a Bel vai pensar? Acho que ela não vai gostar muito da ideia.

Jim sorri.

– Ela vai entender quando eu explicar a situação.

Saímos para o frio.

– Você se importa se eu ficar sozinha uns minutos? – digo. – Só preciso dar uma volta para clarear os pensamentos. Eu sei o caminho da sua casa.

– Agora? No escuro? Não sei se é recomendável. Você não conhece esta área.

– Não vou demorar.

Não parece convencido. Eu me inclino e beijo sua face.

– Vejo você em casa.

E, enquanto ele leva a mão ao rosto, surpreso, eu me afasto sem lhe dar tempo de protestar.

Percorro a rua principal à beira-mar. Aqui é escuro, mas os fliperamas estão iluminados e luzes natalinas pendem dos postes. Há neve no ar, só uns poucos flocos que brilham ao flutuar na claridade e depois desaparecem na escuridão. O parque de diversões e o golfe maluco estão desertos, e o lago exibe as bordas congeladas.

Mais adiante vejo os degraus que levam à água. Desço para a praia coberta de grandes pedregulhos que produzem um som áspero quando piso neles. O vento é forte. Eu me inclino em sua direção, caminhando para o mar em meio ao sopro ensurdecedor. Paro com o vento batendo nos cabelos e olho as ondas quebrarem.

Minha cabeça está rodando devido ao cansaço, à fome e a tudo o que Jim me contou. Não consigo ordenar as ideias. Penso na mamãe e em como deve ter sido para ela, tão jovem e assustada, ficar grávida. Penso em Jim e em como seu rosto se iluminou quando ele estava com Verity e até quando falou nela. E, principalmente, penso no papai. No quanto ele amou a mamãe. Penso em como cuidou de mim na minha infância, mesmo eu não sendo sua filha. *Nunca vi alguém babar por um bebê do jeito que ele babava por você.* Foi isso que a vovó disse.

O mar é grande, escuro e frio. Sou tão pequena e estou tão exausta. Quero apenas me deitar. Se eu me deitar, o mar simplesmente virá e me levará. Vai me levar e arrastar para o fundo.

Penso no carro, na bola de futebol e em como papai me salvou. *O que eu faria sem a minha Pearl?*

Não vou me deitar.

De volta à casa de Jim, sento na cama do quartinho de hóspedes iluminado por uma lâmpada fraca. Abraço os joelhos, mas não paro de tremer.

Há uma pequena escrivaninha no canto e, atrás dela, um quadro de cortiça com fotos de Verity, Alfie, a Destruidora de Iscas de Peixe e Jim compartilhando seus momentos alegres em família: feriados, aniversários, passeios no parque.

Quando eu era criança, às vezes fazia um jogo no qual fingia que minha cama era uma balsa solitária flutuando no meio do oceano, à espera de alguém para me salvar.

Mas não há ninguém para me salvar agora.

Quando acordo, o quarto está permeado por uma enorme claridade. Verity dá gritinhos lá embaixo.

– É neve! É neve de verdade!

Vou até a janela e abro as cortinas. Tudo está polvilhado de neve, que continua a cair. Por um momento, sou dominada por um entusiasmo infantil.

Mas como vou voltar para casa? Será que os trens funcionam hoje?

Eu me sinto mais sozinha do que nunca.

Batem à porta, e Verity entra trazendo uma xícara de chá. A maior parte do chá está no pires, mas agradeço mesmo assim.

– A mamãe disse para você ir tomar o café da manhã.

– Acho que não. Preciso ir.

– A mamãe disse que você ia responder isso. Aí falou para eu usar meu charme para convencer você a comer.

– Tudo bem, pode começar.

– POR FAVOR, POR FAVOR, POR FAVOR, POR FAVOOOOR.

– Tudo bem – digo. – Tudo bem, já vou.

E ela me leva para baixo, segurando minha mão com força.

– Quantos anos você tem? – Verity pergunta quando nos sentamos à mesa.

– Dezesseis – digo.

– Nossa, você é velha. Trabalha?

– Não.

– Tem namorado?

– Não.

– Por quê? Você é bem bonita, de verdade.

Ótimo.

– Obrigada.

Ela me olha de alto a baixo com atenção.

– Só está meio magra.

Deus, ela é pior do que a vovó.

– Você é anoréxica?

– Verity! – a DIP, Bel, me dirige um olhar constrangido enquanto dá colheradas de comida a Alfie.

– Não – digo.

Pego uma torrada para provar o que estou dizendo, mas está seca e fria; eu a devolvo ao prato.

– Bulímica?

– Verity, já *chega*.

– Você é bem sabidinha para uma menina de sete anos – digo, num tom acusador.

– Gosto de ler – continua a me examinar enquanto esfarela sua torrada. – Então por que você não tem namorado?

Procuro não pensar em Finn e bebo um gole de café que me queima a boca.

– Isso não é obrigatório.

– Você tem uma namorada então?

– Não.
– Tudo bem se você tiver.
– Eu sei. Só que não tenho.
– Mas...
– E *você*, tem namorado? – pergunto, pois tem um limite para o interrogatório de uma menina de sete anos no café da manhã. Senão a gente não aguenta.
Ela me olha como se eu fosse maluca.
– Eu? Por que eu ia querer um namorado?
– Exato – digo.
Ela me observa um momento. Aí sorri.
– Quer fazer um boneco de neve comigo?
Balanço a cabeça numa negativa.
– Não posso. Tenho de ir para casa.

Volto ao quarto para pegar minhas coisas. A neve continua a cair, lenta e constante, e eu me aproximo da janela para admirá-la.

E então, enquanto olho para fora através dos flocos que caem, um carro vermelho aparece.

Eu o vejo parar diante da casa, e papai e Finn saem dele. Aí me precipito pelas escadas e saio correndo pela porta sem agasalho e nem ao menos minhas botas. E, quando papai me vê, seu rosto se ilumina como o de Jim quando ele viu Verity ontem à noite, e quero explicar a ele, explicar tudo o que fiz de errado e tudo o que ele fez de errado, e como tenho me sentido sozinha e assustada, e como quero que as coisas sejam diferentes, mas não sei como mudá-las. Mas quando o alcanço estou chorando demais para falar, e ele me abraça com tanta força que eu não poderia mesmo falar.

Mas não tem importância, pois ele já sabe tudo o que quero dizer.

– Sim – papai está contando. – Ainda bem que o Finn apareceu. Meu carro não dava partida por causa do frio, e ele está na casa da nossa vizinha Dulcie, que acabou de sair do hospital. Ele me viu tentando dar partida no carro e se ofereceu para me trazer aqui. Foi muito gentil.

Estamos todos espremidos tomando chá na pequena cozinha de Jim e Bel, e seria mentira se eu dissesse que não houve certo constrangimento. Papai e Jim trocaram um aperto de mão e fizeram sua versão masculina do "Obrigado" e "Sem problema", e agora estão falando de estradas e caminhões limpa-neve ("O asfalto melhora na A21."); Finn está bebendo chá enquanto Verity o interroga ("Mas por que violoncelo? É só um violino grande."); Bel tenta guardar as compras que acabaram de ser entregues, lutando para enfiar na geladeira um peru quase do tamanho de Alfie; e Alfie está comendo cereal do chão com a ajuda da cachorra, que agora eu sei que se chama Maluquinha ("Porque ela é", Verity esclarece, orgulhosa). Eu apenas observo todo o mundo. E me pego sorrindo.

– Você disse que não tinha namorado – Very diz num tom acusador quando estamos de saída.

– Não tenho mesmo.

– Eu posso ter só sete anos, mas não sou burra – ela diz.

Papai liga para a vovó do celular quando estamos indo para o carro. Posso ouvir as exclamações dela mesmo a vários metros de distância. Papai mal consegue abrir a boca.

– Não precisa chorar, mamãe – ele diz, por fim. – Ela está bem. Você logo vai vê-la. Vamos voltar agora mesmo.

Quando ninguém está olhando, seguro a mão de Finn.

– Estou contente que você veio.

Ele me olha, surpreso. Depois sorri.

– Eu também.

Antes de entrar no carro, olho os telhados cobertos de neve e os penhascos. Está tudo branco agora, tudo novo. O mundo se transformou.

JaNx, I RO

Vovó me leva a um cabeleireiro incrivelmente sofisticado em Chelsea. Ela ignora meus protestos.

– Seu pai vai ficar cuidando de Rose o dia inteiro. Agora não podemos cancelar o horário marcado.

Quando ela me diz quanto vai custar, quase engasgo com meu cereal.

No salão me servem cappuccino e um biscoitinho, depois me fazem massagem na mão e manicure. Devo admitir que é bem agradável.

Depois vamos almoçar num restaurante tão refinado quanto o cabeleireiro, mesmo eu tendo repetido cem vezes que não estou com fome. Ela pede duas taças de vinho para nós, e o garçom não ousa contrariá-la. Vovó conta coisas constrangedoras que papai fez quando era jovem e me faz rir, e também conta do meu avô, que morreu antes de eu nascer. Fala de seu lindo apartamento em Edimburgo, insistindo que eu a visite depois que ela voltar para lá.

– Voltar? – digo. – Mas como vamos nos arranjar sem você?

Ela dá uma risada.

– Vocês vão ficar bem. Agora o seguro vai cobrir os cuidados de Rose, e ela poderá ter uma babá ou ficar numa creche. Vou sentir saudade de todos vocês, mas preciso cuidar da minha vida. Faz meses que não vou às aulas de pilates. E Hector sente falta dos amiguinhos. Sei que sente falta.

– Oh.

Na metade de sua segunda taça de vinho, a vovó faz uma pausa e fica séria.

– Eu fui injusta quando falei da sua mãe, Pearl.

– Conversei sobre isso com o papai – digo. – Tudo bem.

– Não está tudo bem, não. Eu entendo por que sua mãe não me queria por perto quando você era bebê. Isto é, depois que ela se recuperou da depressão pós-parto. Reconheço que às vezes sou mandona. Talvez eu tenha dado a impressão de que não a julgava à altura do Alex. Mas o mais importante é que sua mãe queria você só para ela. Sentia-se culpada pelo tempo que perdeu. E por todo o tempo que você passou comigo. Fui uma mãe para você durante aqueles meses. Era difícil para ela. Talvez eu devesse ter sido mais compreensiva.

Penso nisso e dou um sorriso. Vejo meu reflexo no espelho da parede do outro lado do restaurante. O vinho deixou meu rosto um pouco corado, e não posso negar que meu cabelo está bem mais bonito.

– Vamos pedir um pudim? Estou com mais fome do que imaginava – digo.

Nesse dia compro um celular novo. Meu primeiro torpedo é para Molly. *Posso visitar você? Bj, Pearl*

Ela não responde, mas vou assim mesmo. Estou tão nervosa que quase desisto quando percorro o caminho coberto de neve derretida até a casa de Molly. O que eu faria se fosse ela? Eu a imagino gritando e batendo a porta na minha cara. Eu não a culparia se fizesse isso.

Subo as escadas para o apartamento dela, todos os quatro andares enquanto ensaio o que vou dizer. Começa com "Me desculpe mesmo...". Mas aí não consigo pensar na ordem em que devo dizer tudo. Há simplesmente tanto para me desculpar e esclarecer.

Bato na porta e aguardo, tentando tomar fôlego e repassando tudo na cabeça. *Me desculpe mesmo...* Ouço pés martelando no piso, e a porta se abre para revelar um dos gêmeos fantasiado de Darth Vader.

– Oi, Jake – digo. – Ou Callun. A Molly está?

O Darth Vader mirim se limita a respirar ruidosamente através da máscara. É meio enervante. Ele ergue seu sabre de luz vermelho e ruge: "Agora *eu* sou o mestre." Dispara então pelo apartamento com a capa ondulando enquanto grita: "*Mooooolly!* É a Pearl. Você não tinha dito que detestava ela?"

Espero mais um pouco. A música de Liam ecoa dentro do apartamento. Meu coração continua acelerado, agora mais pelo nervosismo do que pelas escadas. Por onde começo? ... *sobre o seu pai?* .... *sobre Ravi?* Ou talvez simplesmente *Tenho sido uma chata* para incluir tudo?

Mas no final, quando ela aparece à porta, tudo se desvanece da minha cabeça.

– Eu menti – digo antes que ela tenha tempo de falar.
– O quê? – Molly me encara com apatia, os braços cruzados.
– Quando contei sobre o dia em que a mamãe morreu. Lembra? Aquele dia no Angelo's – as palavras continuam saindo inesperadamente, não sei de onde. – Eu contei que tinha chegado ao hospital a tempo de me despedir. Contei que ela me abraçou e disse que me amava.
– Sim?
Fecho os olhos.
E, na minha cabeça, estou correndo, correndo pelos corredores verdes do hospital, os pulmões ardendo, o pânico latejando no peito, e não posso mais continuar, não consigo mais correr. Mas a mensagem do papai ainda toca e repete na minha cabeça, e então continuo. Continuo correndo. E agora estou lá, e papai vem ao meu encontro com aquela expressão, aquela expressão entalhada no rosto que me embrulha o estômago.

O que aconteceu?, digo. *Quero ver a mamãe.*
Vamos sentar.
Ele tenta segurar minha mão, mas me desvencilho.
Não!, estou gritando. *Me leve até a mamãe.*
E ele simplesmente fica ali, sem ação.
Não posso, Pearl. As lágrimas correm em suas faces.
Por uma fração de segundo, não compreendo. E então fico subitamente tonta, como se olhasse da margem de um precipício.
Por que não?, quero perguntar. Mas minha voz falha.
Pois sei a resposta. Sei o que ele vai dizer.

Não, murmuro.

E dentro da minha cabeça estou gritando ELA NÃO PODE ESTAR, ELA NÃO PODE ESTAR, NÃO DIGA QUE...

Mas mesmo assim ele diz.

Abro os olhos. Fico parada do lado de fora do apartamento de Molly. O rosto dela está banhado de lágrimas. O meu também.

– Você não se despediu dela? – Molly pergunta.

– Não.

E agora nunca me despedirei.

Andamos de braços dados no Heath. A neve derretida tem uma coloração marrom-acinzentada e está escorregadia.

– Por que você não me contou antes sobre sua mãe? – diz Molly.

– Eu não conseguia.

– E por que está contando agora?

– Porque agora eu consigo.

Ela sorri.

– Ótimo.

– É.

– Ah, meu Deus – diz Molly. – Aquele não é...

Olho na direção em que ela aponta e vejo o sr. S. atravessando o Heath enquanto faz *jogging* devagar, com um insólito abrigo e um boné. Ele calça um par de tênis tão brancos que até ofusca a vista. Acenamos, e ele corre na nossa direção, resfolegando.

– Oi – digo, sorrindo. – Você está diferente.

— Deixe isso para lá — ele diz. — Tenho um assunto chato para falar com você. Minha mulher ficou de péssimo humor neste Natal porque uma de suas melhores alunas não vai voltar para a escola depois das festas — ele me lança um olhar duro. — E quem você acha que está sofrendo as consequências? Eu, este trouxa aqui.

Fito meus pés.

— Desculpe — digo. — E peça desculpas à sra. S. também. Mas não vou voltar.

Ele me encara com as mãos nos quadris enquanto balança a cabeça.

— Mesmo que eu queira voltar, aposto que a srta. Lomax não me aceitará — falo. — Ela nunca gostou de mim.

— Claro que aceitará — diz o sr. S. — Ela só se preocupa com resultados e sabe que você pode tirar boas notas. Bom, agora preciso ir andando. Veja se consegue botar algum juízo na cabeça dessa menina, Molly.

E ele retoma sua corrida.

— Feliz Ano-Novo para vocês — ele grita. — Talvez a gente se encontre uma hora dessas no parquinho infantil, Pearl.

— Você não vai mesmo voltar para o colégio? — Molly fica horrorizada.

— Não sei.

— Ah, por favor, volte — pede ela. — Pearl, você tem de voltar.

— É meio tarde para isso — digo.

— O sr. S. tem razão. É bem capaz que ela aceite você. Se você estiver preparada para implorar.

— Não sou muito boa para implorar.

– Não – Molly dá uma risada. – Não é mesmo.

Alguns pais empinam pipa com os filhos e paramos para observar, erguendo os olhos para o céu.

– Eu lamento por tudo – digo.

Molly aperta meu braço.

– Eu sei.

As nuvens que pairam sobre nós são finas e prateadas, com a luz do sol escondida atrás delas. O riso e os gritos das crianças são trazidos até nós pelo vento.

– Como vão as coisas com seu pai? – pergunto.

Molly faz uma careta.

– Eles vão se divorciar.

– Que pena.

– Está tudo bem. Quer dizer, não está. Por outro lado, as coisas entre eles andavam muito mal há tanto tempo. Pelo menos pararam de brigar – ela diz. – Venha, vamos tomar um café.

– Ravi voltou da universidade? – digo, enquanto caminhamos.

– Sim – ela diz, sorrindo. – Vai ficar aqui quatro semanas.

– O que ele falou de mim? – pergunto. – Você sabe, aquele dia no parque. Você falou assim: "O Ravi tinha razão sobre você." O que ele disse?

– Não tem importância.

– Seja lá o que for, eu não vou me zangar – eu falo. – Eu entendo.

– Ele disse que, às vezes, quando as pessoas perdem alguém que elas amam, é como se morressem também. É como se, talvez, esse fosse o único modo de permanecerem perto da pessoa que se foi. Param de viver.

Eu a encaro.
– Foi isso que ele disse?
– Foi.
– O Ravi?
– A-hã.
Balanço a cabeça.
– Achei que ele tinha dito que eu era uma chata deprimente, sarcástica e insuportável, e era melhor você ficar longe de mim.
– Ah, é. Ele disse isso também.
– Disse mesmo?
Molly ri.
– Claro que não.
– Quer vir ao meu aniversário na próxima semana? – digo enquanto andamos. – Você e o Ravi?
Molly me dá um beijo no rosto.
– A gente vai adorar.

No dia seguinte, recebo um cartão-postal de Verity, que diz:

Querida Perl, foi muto bom te conhecer mas pode ficar mais tenpo da proxima vez? E o Fin.
   Bjsssss Verity

Fico tão contente que grudo o cartão na porta da geladeira. No estúdio da mamãe, encontro uma folha de papel de carta no meio das caixas e escrevo:

Querida Verity,

Foi ótimo conhecer você também. Voltarei em breve. Quem sabe um dia você vem me visitar também?

Um grande beijo,

Pearl

Dulcie vai para a casa de repouso hoje, e eu disse que apareceria para visitá-la. Vejo os funcionários da transportadora carregando suas coisas para fora: quadros, móveis, fotos. Uma vida inteira acomodada na traseira de um furgão. A maior parte disso vai para a pousada dos pais de Finn. Ela não pode levar muita coisa para o asilo.

Finn vem aqui para se despedir.

E dessa vez, quando ele me beija, eu não me afasto.

FxVR REiRO

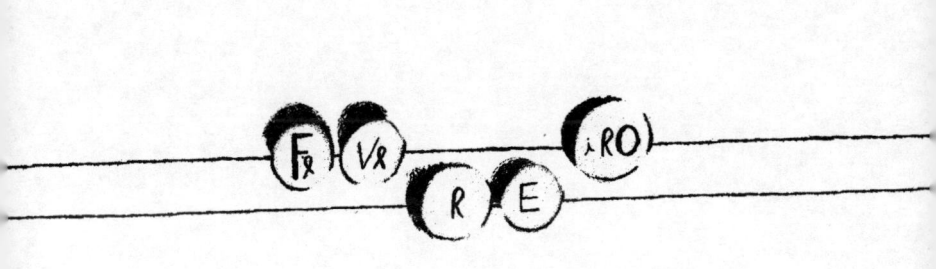

– Sim – ela diz e, a despeito do sorriso, sua voz fica embargada.

Na claridade da manhã que desponta, seus cabelos parecem de fogo. Ela fecha os olhos e vira o rosto para o pálido brilho alaranjado que continua a se intensificar, iluminando e acentuando as tênues rugas em seu rosto. Por um segundo, consigo imaginar como ela seria quando envelhecesse.

– Você está bonita também – digo.

Ela abre um olho e ergue a sobrancelha.

– Você não tem bebido, hein, Pearl?

– Não.

– Nem anda tomando um pouquinho de drogas alucinógenas?

– Não.

Ela ri.

– Você tinha quatro anos da última vez que disse que eu era bonita. E, mesmo assim, foi porque tinha feito a minha maquiagem. Você lembra? Borrões de batom por toda parte.

    Eu sorrio. E depois não consigo mais parar. Fico apoiada no parapeito da janela à luz do sol, sorrindo feito uma maluca.

    – Eu tinha pavor deste dia – digo.

Sei que tinha, meu coração ficava descompassado cada vez que eu pensava nisso; mas o medo parece distante agora, como se pertencesse a outra pessoa.

    – Eu sei – mamãe diz, virando o rosto e olhando pela janela de novo.

    – Vamos sair – fala de repente.

E sorrio mais um pouco, pois isso é exatamente o que tenho vontade de fazer.

Destranco a porta do pátio e, sobre a camisola, visto a jaqueta de mamãe que continua pendurada no gancho de sempre. Aí enfio os pés descalços nas galochas, e saímos para o jardim. A grama está coberta de geada e brilha à luz do alvorecer.

    – Não está com frio? – mamãe diz.

Nego, embora devesse estar.

    – Venha – dou a mão a ela e atravessamos a grama enrijecida, indo sentar no banco nos fundos do jardim, debaixo dos galhos rugosos e desfolhados.

    Por um longo tempo nos sentamos em silêncio. O mundo está perfeitamente imóvel. É como se só nós duas existíssemos. Não me lembro de jamais ter me sentido tão feliz, tão em paz e integrada a tudo o que me rodeia.

Mas, quando olho para mamãe, suas faces estão molhadas de lágrimas.

– O que aconteceu? – digo, segurando a sua mão de novo.

– Eu lamento tanto, Pearl – ela diz afinal, e posso sentir a tristeza dentro dela. É como uma ferida.

– O quê? – pergunto. – O que você lamenta?

Ela balança a cabeça, incapaz de falar, e eu a abraço um instante, sentindo seu corpo estremecer enquanto ela soluça silenciosamente.

– Tudo – mamãe diz, com a voz falhando. – Cada lágrima que você chorou por minha causa.

Levanta os olhos para mim. Estão vermelhos.

– Eu também lamento – digo. – Eu fiquei com raiva de você. Não devia ter ficado.

– Não fui sincera com você – ela diz. – Sobre James. Sobre mim mesma. Desculpe. Nunca tive intenção de magoar você.

– Por que não me contou sobre a situação depois que eu nasci? Sobre quanto foi difícil?

– Queria fazer com que tudo fosse do jeito que deveria ter sido. Era para eu me alegrar quando você nasceu. Mas me senti exausta, assustada e confusa – ela aperta minha mão. – Achei que poderia fazer as coisas serem do jeito como eu gostaria que fossem. Queria tornar o mundo perfeito para você. Sentia muita culpa.

– Foi o que a vovó disse.

– Bom, ela às vezes tem razão – mamãe suspira. – É intrometida, mandona e terrivelmente esnobe, mas... Ela ama você.

– Fiquei com muita raiva. De todo o mundo. Mas principalmente... – respiro fundo. Posso ouvir meu coração batendo. Mas preciso lhe dizer. – Do bebê.

– Eu sei.

Eu a encaro. E me dou conta de que sabe, sim. Tudo o que procurei esconder. Papai. O Rato. As mentiras que contei. Ela sabe tudo.

– Como você descobriu?

Lembro tudo o que pensei e disse, e meus olhos se enchem de lágrimas.

– Porque conheço *você*.

– Desculpe.

Torna a apertar minha mão.

– Eu sei. Desculpe também.

Um melro preto canta em uma das árvores altas atrás de nós. Encosto a cabeça no ombro de mamãe e escuto. O canto é tão triste e perfeito que indago se não estará vindo de dentro de mim. E neste momento compreendo algo, algo que ela não pode me dizer.

– Você não mudaria nada, mudaria? – digo. – Mesmo que pudesse? Se a alternativa fosse não tê-la, você escolheria isto.

Quando falo, percebo que eu sabia disso o tempo todo.

Ela concorda, as lágrimas encharcando o seu rosto.

– Desculpe. Você me perdoa?

Fecho os olhos. O melro canta.

Estou tão cansada. Cansada de ter raiva. Cansada de ficar triste. Aconchego-me mais perto da mamãe, e ela me envolve com o braço. Ficamos sentadas naquela posição até eu me sentir sonolenta, tão sonolenta que não consigo ordenar os pensamentos na cabeça. Abro os olhos e tento fitar mamãe, mas minhas pálpebras estão pesadas. Eu me sinto despencando, e o sono vindo ao meu encontro.

– Venha – a voz de mamãe soa longínqua.

Tenho vaga consciência de seu braço nos meus ombros. Deixo que me guie para dentro de casa.

À minha volta, a cama é macia. Estou quase adormecendo.

Mas sei que ela ainda está aqui. Sinto seu calor contra o meu braço.

– Você pode perdoá-*la*? – mamãe diz enquanto vou mergulhando no sono.

– Talvez – tento dizer. – Acho que quero isso.

– Eu não precisava tornar o mundo perfeito para você – ela sussurra. – Você é forte. Mais forte do que eu. Forte o suficiente para enxergar a vida como ela é. Caótica, assustadora, insuportável... – ela beija a minha testa. – E maravilhosa.

Então ela diz:

– Eu amo você.

E sinto que está se levantando; seu calor se dissipa. Sinto que está indo embora.

– Espere... – tento segurar sua mão, mas estou muito sonolenta e pesada. – Não quero que você vá embora ainda...

Quando acordo de novo, o sol quente e amarelo jorra pela janela; é tarde demais. Tarde demais.

Sento, cega de pânico.

Ela foi embora. Eu sei.

Ela foi embora.

Ela foi embora.

Ela foi embora.

Escondo o rosto nas mãos. Soluço e soluço e não sei como conseguirei parar.

Ouço os passos do papai. E então os braços dele me envolvem, fortes e protetores, como sempre foram desde que eu era um bebê.

– Ela foi embora, papai – digo por fim. – Ela foi mesmo embora.

– Sim – ele diz.

E chora também.

Eu me sinto fraca e exausta, e ainda assim não consigo parar de chorar. As lágrimas continuam caindo e caindo. Minhas faces estão esticadas e formigam. Meus olhos estão inchados.

– Não sei o que fazer – digo ao papai. – O que vamos fazer?

Ele não fala nada, só continua me abraçando.

Aí me beija no topo da cabeça e segura minha mão.

– Venha – diz.

Eu o acompanho.

– Olhe – ele diz.

Estamos de pé diante do berço do Rato. Ela dorme com os braços estirados acima da cabeça.

É aniversário dela.

Ouço sua respiração, o ar entrando e saindo de seus lábios levemente entreabertos, e vejo seu peito subindo e descendo, subindo e descendo.

– Rose – sussurro.

Desço as escadas e vou para o jardim. O sol está tão forte que quando fecho os olhos ainda vejo a silhueta das árvores dentro de minhas pálpebras.

Do outro lado do muro, escuto as crianças que se mudaram para a casa de Dulcie. Estão brincando, pulando no trampolim e dando gargalhadas.

Lá no alto, há os pássaros e o constante zumbido dos aviões.

Atrás de mim, está o meu lar.

Aos meus pés, há brotos verdes; pétalas pálidas prontas a se abrir.

O mundo pode virar a qualquer momento. Mas por ora...

Por ora, o mundo continua girando e eu continuo respirando, o ar dentro e fora, dentro e fora. Respiro a vida à minha volta, neste jardim, nesta cidade, nos campos além dela e no litoral do outro lado; a vida que alcança o espaço inatingível e desconhecido que está além de todos nós e das estrelas que ardem lá longe.

O mundo pode virar a qualquer momento.

Mas por ora isso não tem importância.

Agradecimentos

Dedico todo amor e gratidão à minha mãe e ao meu pai, Helen e Brian Furniss. Sem o apoio deles – emocional, prático, financeiro e editorial –, eu não teria conseguido escrever este livro. E também a você, David, por acreditar cegamente que eu escreveria um livro que valeria a pena ler, e pelos sacrifícios que fez para que eu pudesse escrevê-lo.

Obrigada a Julia Green e Steve Voake, por sua orientação, e aos meus colegas do curso de mestrado de Escrita Voltada ao Público Jovem da Universidade de Bath Spa: Blondie Camps, Alex Hart, Helen Herdman, Lu Hersey, David Hofmeyr e Sandra Busbridge. Vocês todos ajudaram este livro a ser o que é.

Obrigada a Linda Newbery, Malorie Blackman e Melvin Burgess, por acreditarem na minha capacidade de escrever e me incentivarem quando tive vontade de desistir.

Obrigada à equipe da Simon & Schuster e da Riot por seu entusiasmo e dedicação, especialmente a Ingrid Selberg, Jane Griffiths, Elisa Offord, Kat McKenna, Laura Hough, Maura Brickell e Preena Gadher.

E, ainda, obrigada à minha agente Catherine Clarke, por sempre ter razão em tudo.

Clare Furniss cresceu em Londres e mudou-se para Birmingham na adolescência. Depois de trabalhar como garçonete, vendedora e funcionária da Biblioteca do Centro Shakespeare em Stratford-upon-Avon, ela estudou em Cambridge e em Aberdeen. A seguir, Clare trabalhou como relações públicas da entidade filantrópica Shelter para os sem-teto e passou muitos anos trabalhando como assessora de imprensa do então prefeito de Londres, Ken Livingstone. Apesar de seu trabalho envolver muita escrita, ela nunca havia considerado seguir a carreira de autora de ficção até engravidar e dar um tempo como assessora. Cursou o mestrado em Escrita para jovens no Bath Spa. *Meu mundo de cabeça para baixo* é fruto de sua pesquisa para a dissertação. Seu segundo livro, *How not to disappear*, foi lançado na Inglaterra no começo de 2016. Atualmente vive em Bath com o marido e os três filhos.

Impressão e acabamento:

Orgrafic
Gráfica e Editora
tel.: 25226368